JN062379

秘密率99%
コロナと猛毒ワクチン

誰も知らない！ 殺しながら儲けるその仕組み！

サイエンス・エンターテイナー
飛鳥昭雄

目次

Part 1

【起承編】知能犯のアメリカ、ビル・ゲイツ！
バイオ兵器の裏に
感染者数、PCR検査の大ウソ!!

Part 2

［転結編］人工ウイルスとワクチンで合法的大量虐殺！ ビル・ゲイツが狙う世界支配

※本書は2021年4月4日と4月29日にヒカルランドパークにて開催されたセミナーをもとにまとめられたものです。

カバーデザイン　上田舞乃／上田晃郷
校正　広瀬 泉
本文仮名書体　文麗仮名（キャップス）

Part 1

［起承編］

知能犯のアメリカ、ビル・ゲイツ！
バイオ兵器の裏に
感染者数、PCR 検査の大ウソ !!

NY
打つな！飲むな！死ぬゾ!!
飛鳥昭雄

◉知能犯のアメリカは特許の利益を奪い取る！

サイエンスエンターテイナーの飛鳥昭雄です。よろしくお願いします。

このたびヒカルランドさんから出した新型コロナウイルスに関する書籍は、『打つな！飲むな！死ぬゾ!!』と結構過激なタイトルです。このタイトルをつくったのは、実は僕じゃない。高野誠鮮氏なんですよ。いわゆるスーパー公務員で、日蓮宗の僧侶でもある方です。

飛鳥ファンの1人の方が石川県羽咋市在住で、飛鳥さんはこんなことを書いていますけど、どうですかと聞いたら、1カ所だけ承服しかねるところがあるけど、そのとおりだと彼は言っていましたね。実際にワクチンを打ったらどうなるんですかと言ったら、彼は即答して「打つな。死ぬぞ!!」と言った。それを僕が聞いて、そのままもらっちゃったんです。「買うな！」というと、別の意味になってくる。「飲むな、打つな、買うな!!」というのはちょっとヤバイと、後で言われました。

どっちにしましても、きょうは、「起承転結」の中の「起承」（Part1）、続編は「転結」（Part2）で、2つに分けてやります。今回は新しい情報も加えて、COVID－19（新型コロナウイルス）についてのいろいろな見識、見解を前編としてやります。後編では、ワクチンについて新たな情報を加えたものを講演します。

その前にまず、落語で言うつかみとして、今回のコロナウイルスについてざっくり言えば、ドラえもんなんですよ。は？　と思いますよね。こういうことです。のび太は日本、ジャイアンは中国、スネ夫は韓国なんです。僕は今まで、ある意味でよくも悪(あ)しくも日本を甘やかすのが、ドラえもんのアメリカだと思っていた。

果たして藤子・F・不二雄先生がそこまで考えたかどうかは別にして、事実、ドラえもんの色は赤と青と白で、これはアメリカの国旗の色なんですよ。ただ、今はもう考え方を変えました。アメリカの正体が、ドラえもんの登場人物にいた。知能指数の高い出木杉(できすぎ)です。

今回のコロナも実はこのことと関係するんですが、何でアメリカが出木杉なのかということからまず説明しないと、今回のコロナウイルスについては説明できない。

近場から話しますと、皆様方は3Dプリンターってご存じですよね。今はすごいですよ。あれで、例えば人間の腸もつくれる。将来的には心臓、他の内臓も、iPS細胞だろうと何だろうと原寸大でつくれます。金属を使うと車も一体化でつくれる。一体成型です。エンジンもほとんど一体成型でできます。これはすごい発明じゃないですか。これを発明したのは小玉秀男（こだまひでお）さんというもともとは名古屋工業研究所の技術者で弁理士になられた名古屋の方です。

でも、この特許を持っているのはアメリカなんですよ。持っていかれちゃった。ソニーもパナソニックも全くどうしようもない。

iPS細胞は、今回のことにも実は関係するんですよ。これは皆様方には常識ですが、京都大学の山中伸弥教授がノーベル医学・生理学賞を2012年に取りました。

彼が発表したと同じ日に、アメリカのベンチャーも全く同じ内容を同じ時間帯で発表しているんです。アメリカが京大に対し、アメリカにも特許の権利があると言い始めた。どうやら京都大学のパソコンがアメリカにバックドアから全部抜かれたんです。

裁判はアメリカでやることになった。

裁判が延びると、ノーベル賞も失う可能性がある。仕方がないので、華の部分は京都大学が取って、特許から発生する実の大方はアメリカが握った。それもアメリカ国内という条件付ですが、アメリカの大企業その他を含めたグローバル企業は、ヨーロッパにも進出していますから、アメリカはiPS細胞における利益のほとんどを握ります。

◉STAP細胞の特許はハーバード大学に奪われた!

皆様方は、STAP細胞の小保方晴子さんはどうしようもない女だと思い込まされています。大ウソつきだとも言われました。今はどこかの高級ケーキ屋さんでパティシエをやっているという話がある。こういう言い方をすると語弊があるけど、研究者としたら身を落としちゃった。

一見、自業自得と言われていますけど、理化学研究所では死者も出た。なぜか知らないけど、日本で自殺する人たちはドアノブで首を吊る。おかしい。自分で息を止めて死ぬという落語があるけど、結局ムリなんだね。有名人、タレントも含めて、ほとんどがドアノブで自殺なんだ。これは日本人に対するＣＩＡのやり方ですよ。

結果的に理化学研究所は、ＳＴＡＰ細胞はないと言った。すると、ハーバード大学が、ＳＴＡＰ細胞と全く同じもので世界特許を取った。理化学研究所のスーパーオーナーはロックフェラーなんです。この仕掛けがわかりますか。これでＳＴＡＰ細胞はアメリカのものになっちゃった。こういうことは出木杉しかできないんですよ。頭の悪いジャイアンには真似できない。

小保方さんは「ＳＴＡＰ細胞はあります」と言ったんだけど、それがギャグにされちゃって、気の毒だよ。だけど彼女には最後の一手がある。実は、彼女は『ネイチャー』に論文を出してるの。

理化学研究所は、アメリカに言わされたんだろうけど、そんな論文はウソだったと言っちゃった。でも、肝心の論文は『ネイチャー』に載っている。動物の分化した細胞に弱酸性溶液に浸すなどの外的刺激を与えると再び分化するという内容。これはまだこれから先の勝負になるよね。それでも、よくやっても世界特許の大方はハーバードが全部握っちゃいましたから。結局、華の部分だけになるよね。それも枯れた華になるかもしれない。

◉和製ＯＳを叩き潰してビル・ゲイツのＷｉｎｄｏｗｓが登場

マイクロソフトのビル・ゲイツにも同じことがあった。東大理学部情報科学科に所属した坂村健という東大名誉教授が助教授時代、１９８４年に、ＴＲＯＮというＯＳソフトを開発し始めるんですよ。それがあまりにも優秀なので、翌年にはＮＥＣがＩＴＲＯＮという準ＯＳを開発した。その翌年、86年は、日立が68Ｋというのをつくった。これは当時から見ても完成度が非常に高いＯＳなんです。１９８９年に、リアルタイム系ＯＳと言われるＩＴＲＯＮ２、32ビットプロセッサというのが、いろんな場所で堂々と公開されるわけです。当時の通産省と文部省と大手家電11社は、これを世界的なOSとして販売しようということで一致団結した。松下電器はマシンまで完成した。BTRON1・2OSというのまでできた。

1988年、アメリカ通商代表部がスーパー301条というのを出してきた。これは貿易に対して不公平だというわけです。アメリカはそれに対して断固拒否できる権限を持つ。このスーパー301条を出すということは、TRONというOSがいかにすぐれていたかということです。

その後、あらゆる圧力を日本にかけてくる。なぜかというと、大手11社というのは、テレビも含めて、白物家電をアメリカに売っていた。301条をやられたら、ものすごく印象が悪くなる。11社の家電にTRONが入っていたら、301条の貿易不均衡とアメリカが言って、貿易に関する莫大(ばくだい)な税金をかけてくる。それで仕方なく、櫛(くし)の歯が抜けるように日本のメーカーが抜けていったわけです。

その隙間(すきま)を縫って出てきたのがビル・ゲイツのマイクロソフトだった。こいつは、1985年にようやくWindowsの開発に乗り出した。その1年前に既に日本は開発を始めている。Ｍｉｃｒｏｓｏｆｔ　Ｏｆｆｉｃｅというソフトを販売するのは１９９０年ですよ。日本のＴＲＯＮをアメリカが叩き潰して、敵がいなくなってから出てきたのがビル・ゲイツです。

このＯｆｆｉｃｅソフトは欠陥だらけです。だから、以後、次々と毎年修正版のバージョンアップを販売していくわけだ。ＴＲＯＮと比べたら、ケタ違いの欠陥ＯＳなんだよ。それで、アップルの創業者スティーブ・ジョブズは、こんなものを出すのか、ひどすぎるということで、ゲイツに直接電話をかけてくる。ところが、毎年毎年Ｗｉｎｄｏｗｓを更新するから、それでマイクロソフトは莫大なカネを稼ぐことになる。要は、ビル・ゲイツをつくったのはある意味で日本なんだよ。

◉スピルバーグは東映「若大将シリーズ」をパクった⁉

スティーブン・スピルバーグをつくったのも日本ですよ‼　スピルバーグの出世作

というのは「激突」で、アメリカのテレビで大ヒットしたから映画になっちゃったんだけど、もともとはテレビ用スペシャル版だったんだよ。

１人のサラリーマンがハイウエーを通っているときに巨大なトラックを追い抜いたら、よくも追い抜きやがったなということで、徹底的に追いかけ回される。踏切で止まっていると、後ろからガーッと押してくる。先に行けというから追い抜くと、狂ったようにガーッと追いかけてくる。最後はその大型トラックが崖から落ちて主人公が命拾いするという内容。

実は同じ内容が加山雄三の「若大将シリーズ（ゴー!・ゴー!・若大将）」にあったんです。時間内に到着すればいいというラリーがあって、トラックを追い越したら、そのトラックの運転手が徹底的に追いかけてくる。加山雄三たちが信号で止まっていたら、後ろから押してくる。最後にそのトラックは崖から落ちる。でも、このことを東宝は黙ってしまうんだよ。アメリカ様に盾突くと、東宝の映画が海外で売れないかもしれない。それでスピルバーグは一気に有名になっていく。あのとき東宝が訴えて叩き潰していたら、今のスピルバーグはないんだよ。

何を言っているかわかりますか。アメリカのビッグと言われる連中の多くは、今回はあまり詳しく言わないけど、ロックフェラーも含めてそうなんだけど、結果的に全部日本が協力してつくり上げた。今それで日本が苦労しているんだよ。

実は、バブルが崩壊して30年、40年たちますけど、あれはちゃんとソフトランディングできたんです。皆様方はおそらく今は相当の預貯金があるでしょうが、日本はどんどんひどくなっています。バブルの頃、日銀の総裁で平成の鬼平と自称するバカ(三重野康)があらわれて、急激に金融を引き締めた。高速道路で急ブレーキをかけたに等しい。それをハードランディングというんだけど、俺は日本人のぜいたくを直した男だと自負している。日本経済はこいつ1人に潰された。

同じように、太平洋戦争も南雲忠一という男1人で負けた。一人だけで日本は負けたんです。山本五十六の命令でパールハーバーを攻撃しに行く前、五十六は、戻るときにミッドウェーという小さな基地を潰せと命令していたんだけど、ハワイであまりにも勝ったもんだから、あんな小さな基地を潰すのは恥だということで潰さなかった。結果、翌年のミッドウェー海戦で日本は負ける。

航空母艦から発着するときに、陸を攻撃するのと艦船を攻撃するのと、爆弾と魚雷をコロコロすげかえさせたものだから、発進もしないうちに全部叩き潰された。これは全部南雲の責任だ。こいつの専門は機雷なんだけど、海軍の中で血筋がよかったのか、能力がないのに上まで行っちゃった。山本五十六の言うことを全然聞かない男だった。

こいつが同じパターンを東南アジアでもやっていました。あとは、サイパンでも一般市民に玉砕しろと言い始めて、この男1人で何百万という人たちが死んでいった。たった1人の無能な男のせいでだよ。結局南雲はサイパンで自決しましたが。

◉情報を発表した武漢の眼科医はなぜ殺されたのか

これからが今回の本題です。

何を言っているかというと、日本が討ち漏らしたやつが世界トップワンになって、それで今、日本が苦しめられ、世界も苦しめられている現状がある。なぜなら、アメリカは悪に走った出木杉だからなんです。

新型コロナウイルスは大変ですね。僕も最初はなかなか正体がつかめなかった。今のところ関連本をヒカルランドから2巻出しています。1巻目の『新型コロナと安倍独裁政権』で既に疑問は提示しているんですが、今回、2巻目『打つな！飲むな！死ぬゾ!!』で完全に正体がわかったので、2冊読んで初めて完成という形になります。

新型コロナウイルスが中国の武漢で発生というのは、中国は認めてないようですけど、世界的常識ですよね。でも、これは考えてみたら非常におかしなことがある。中国共産党はインターネットも含めて都合の悪い情報はすぐ削除して、まず秘密が漏れないようにしていたはずです。何で武漢で漏れたという話が世界中に知れ渡ったのか。そこなんだよ。

中国は徹底的に隠したのに、誰が漏らしたのか。アメリカなんだよ。ネットでそれをやったら、あっという間に世界中へ拡散する。中国政府は自分から不都合なことを流しませんよ。後から次々出てくるんだけど、考えてみたら、武漢の情報漏れはメチャクチャおかしなことなんだよ。

李文亮（りぶんりょう）という武漢の眼科医が最初にそれに気づいて、2019年12月30日にオンラインチャットで、ちょっとおかしなことが起こっている、患者が7人ぐらいいると。なぜそういうふうに言ったかというと、SARS（サーズ）（重症急性呼吸器症候群）とかいろんなことが中国で発生した出来事があり、それに近い症状が起こってるぞということを流しただけなのよ。

アルゴリズムというんだけど、文字検索も音声も、AIが扱うと、すぐにわかっちゃう。早ければ数秒でわかる。監視システムが稼働して、書き込みから3日後に、警察によって李医師が事情聴取をされるわけだよ。オンラインでの発言が国家を混乱させているということで、結果的には、二度としませんということを署名して、向こうでいう保健当局から厳重な警告を受けた、それだけなんだ。これでとりあえずは封印したはずなんだよ。この人は眼科医なので、医療の中でも、感染医療とは別のほうの人だった。

これが知れ渡ってから、世界中から、何か起こってるぞということになってくる。

そうすると、SARSかもしれないとか、いろいろな噂があって、この人は念のためにと入院させられる。ところが死んじゃうんだよね。今だからわかるが、20代、30代が簡単に死ぬわけがない。死ぬのは高齢者や。それも、いろいろな基礎疾患を持ってる人が死ぬ。今だから言えることだよ。

高齢者の死因のベスト3は、心筋梗塞、肺梗塞、肺炎。肺炎は結構多いのね。特に日本の場合は、有名人も含めて、お年寄りの歌舞伎俳優の名優やタレントが死んでいくのはみんな肺炎なんだよ。なぜ肺炎が多いかというと、誤嚥と、寝ているときにゲップが出てきて胃液が口内の雑菌と一緒に肺に入っちゃうから。

僕は、この事件が起こる前から、肺炎球菌ワクチンを打てと、10年ぐらい前から言い続けている。僕はもう打ちました。このワクチンは安全なんだよ。なぜなら、空気中に浮かんでいる球菌を弱めてつくった本当のワクチンだから。

中国の眼科医がまだ30代そこそこで死んじゃったということで、世界中で大騒ぎになる。今もそうだけど、あの当時、彼の名前が世界的に知れ渡った以上、必ず世界中から取材が来ることになる。中国共産党は、都合の悪いことをペラペラしゃべられたら困るので殺したというのが真相です。それ以後、若い人はまず死んでない。日本でもそうです。

◉志村けんの急死が日本人に与えたショック

何度も言いますが、新型コロナウイルスというのは、赤ちゃんも死にませんし幼稚園児も死にません。若い人はなおのこと死にません。高齢者もほとんどは死なない。手術後で免疫力が弱っていたり、もしくはもともと糖尿病を持っていたり、そういう人たちがちょっと肺炎を患(わずら)って、運が悪かったら死んじゃうだけだよ。こういうのはデータが蓄積されていかないと、最初はなかなかわからない。

日本人にショックを与えたのは3つある。1つは、この中国人の医師の死だろう。でも、一番大きいのは志村けんなんだよ。〝あのドリフの志村が死んだ〟、数日で死んだ。その後に女優の岡江久美子が死ぬこともあったんだけど、やっぱり日本人にショックを与えたのは志村だよ。

志村効果と言うと怒られちゃうけど、国民的なコメディアンでしたからね。ドリフターズの「8時だヨ！　全員集合」のメインだよ。加藤茶を追い抜いたぐらい人気のあった人だったから、志村が死んだというのは大きかったよ。

でも、後からよくよくわかってくると、志村さんはヘビースモーカーで、肺はもともとボロボロで、大腸も手術したのかな。胃もそうだから、満身創痍だったんだね。それでガールズバーをハシゴしてバタッと倒れた。男としては本望な死に方かもしれないけど、その後、かわいそうなことは、親族や親戚が、志村けんの葬儀をやれないんだよ。すぐ火葬で、死に顔も皆知らない。今は別にいいんですよ。でも、当時はスグに火葬、おかしいやろ。

俺たちの頭の中には、死んだら顔も見られなくなるというのがインプットされている。何か変なんだよ。何か気持ち悪いんだよ。志村さんも、いろんなことが後で出てくる。あれはひょっとしたらコロナで死んだんじゃないんじゃないの。仮にコロナだとしても、70歳過ぎた人は毎年、風邪とかインフルエンザで大勢が死ぬんです。

先に答えを言っちゃいますけど、まさしくコロナ真っ最中の2020年に65歳以上で亡くなった高齢者の数は、2019年のそれよりも減っていた。少なくなっているんです。だけどテレビは、「きょう、また感染者がふえました。第3波、第4波、変異が来ました。大変です！」。何かおかしいんだ。誰かがわざと煽るようにコントロールしてるんじゃないの。

その割には、自民党は平気でオリンピックをやると言っています。何かチグハグというか、すべてが右左逆方向なんだよね。ウソがまかり通っている可能性がある。これには何か仕掛けがあるな。

◉WHOの裏に中国とビル・ゲイツの資金援助あり

最大のウソつきの1人はWHOなんだよ。世界保健機関という国連の1つの立派な組織だけど、そのときの超大国とかにどうしても影響を受けるということで、ニューヨークじゃなくて、ジュネーブという別の場所に移した。それだけ中立性を重視した。しかし、旧ソビエトの時代にもアメリカと旧ソビエトが手を組んで、あらゆる医療、疫病に対して協力したところだった。

ところが、ロナルド・レーガン大統領のころから、アメリカの言うことを聞かないということで予算を減らされたり、アメリカが嫌がらせをするようになってきて、特にカネが随分減らされてしまう。なぜなら、白人じゃなくて、アジア人とか黒人とかそういう連中がWHOのトップになるから、アメリカにとってはおもしろくない。

そういう中で、今回のコロナ禍の事務局長テドロス・アダノム・ゲブレイェススは、エチオピアの外務大臣だった。エチオピアというのは中国からものすごく資金援助を受けている。当然ながらキックバックも本人にあるわけですよ。

中国からカネをもらっているというのは周知の事実で、結果、彼が言ったのは、世界は中国に感謝すべきだ。中国政府は感染拡大阻止に並外れた措置をとった。

2020年1月30日の時点で「国際的に懸念される公衆衛生上の緊急事態」（PHIC）宣言時に、中国以外の感染者数は98人しかいない。世界は中国政府の努力がなかったら、国外感染はもっとふえ、死者も出ていたはずだ。中国は感染封じ込めで新たな基準をつくった等々。

これで中国がＷＨＯをカネで支配したと世界中が思い込んだ。でも、これはトリックだ。アメリカがＷＨＯに資金を出しているが、その実際の資金提供者は、国ではなくビル・ゲイツだった。ビル＆メリンダ・ゲイツ財団が、アメリカに匹敵するぐらいの資金をＷＨＯに出して、中国を悪者にしていた。だんだんと仕掛けが見えてきた。

いかにも中国はとんでもない国だし、ジャイアンって頭悪そうです。ですから出木杉がまともに動きはじめたら、ジャイアンなんかイチコロです。

そうなってきたら、武漢でほんとにウイルスが漏れたのかということまで怪しくなってくる。これに気づいた人間はほとんどいないし、昔から言われていたのは、アメリカはマッチポンプということだ。アメリカという国は、大企業から弱小企業、小さな村の保育所まで全部、軍産複合体でできていると言われている。今もそうだし、私もそう思います。保育園に通っている子どもの親たちが工場でネジをつくり、そのネジで兵器がつくられる。

要は、戦争がなかったら、テロリストが暴れてくれなかったら、アメリカという国が成り立たないんです。だから、わざとマッチで火をつけて、自らのポンプで消す。これを延々と繰り返して巨大化した国が、ザ・アメリカ合衆国なんです。

当然ながら、グーグル、ツイッター、インスタグラム、フェイスブック、アマゾン、アップルは、ものすごい力を持っている。イギリスの鉄の女サッチャー首相が始めた新自由主義は、グローバルスタンダードという形で世界へ拡散し、何でもグローバル、グローバル、グローバルで、国境を越えて企業が拡大して儲けていくシステムが加速していった。それで、アメリカ国内で工場を持つよりも、安いアジアで製品をつくって、中国が巨大化していくわけだけど、これが世界規模の商売になっていった。

世界で商売をやるには新しいプラットフォームが必要になってくる。全く新しいプラットフォームをつくって、そこに木を植え、町をつくり、道路をつくる。プラットフォームという変形が、どうも今回のコロナウイルスじゃなかったのかという気がしてきた。

◉感染者数の増加は意図的な報道、マスクは意味なし！

テレビでは「感染者数が昨日よりふえました」しか言わない。1万人にPCR検査をした結果800人ですとか、分母を言わないから、感染の数だけワーッとふえて、視聴する側に錯覚を起こさせている。もっと言うと、PCR検査をしなかったら感染者数はゼロですよ。田舎はゼロだというのは当たり前で、やってないんだもん。PCR検査はやればやるほどふえていく。しかし、ほとんどは死んでないんだよ。これは何かが変だ。

笑っちゃったのは、最近のニュースで、「今度いよいよ変異株の第4波が来ました。これはマスクでは防げません」と言っている。ウイルスはそもそもマスクを通過してくるんだよ。

そして次に言ってくるのは、マスク2枚。そのうち3枚、5枚と言い始めるよ。それでも、ウイルスは入ってくる。当たり前だよ。ウイルスは極小のミクロですよ。テレビが言うと、茶の間で見ているお母様方は「わあ、大変だ」と言う。もともとマスクはそういうものじゃないんだよ。

世界の常識は、マスクで飛沫（ひまつ）とかを飛ばさないようにする。日本の常識は、うつらないようにする。これが世界で微妙にグラデーションになっていて、変な話、日本の考え方のほうが世界を制覇し始めた。何でこんなバカなことを欧米の医学者たちが信用し始めたかというと、日本の感染者数はアメリカとかＥＵの１％、死者数も１％台だからなんですよ。これは日本人が昔からマスクをして歩いているせいだ。あれはほとんど花粉対策なんだが、何か勘違いしたというか、そういうふうに思わせるニュースをイギリスのＢＢＣとかアメリカのＡＢＣがどんどん流して、みんな日本人に学べとなった。それはうれしいんだけど、同時に何かが妙なんだ。

何が妙かというと、さっきの志村さん以外にもう１つ、ダイヤモンド・プリンセス号の事件があった。あれは武漢で何か起きてるぞというときに横浜港で止めちゃったんだけど、ＰＣＲ検査は最初のころ、中途半端だった。免疫学とか感染学の専門家が入ろうとすると、止められたりする。

中に入った医師がいて、船内を撮影したら追い出されちゃう。写真撮影するな、勝手にSNSに流すな。何かが最初から変なんだよ。わざと感染させているんじゃないかと思われるぐらい変だった。感染学のイロハは、感染地域を3つのブロックに線を引いて、ちゃんと区分けするんです。ここから先は防護服という区分けがあるんだけど、それを一切やっていない。そのうちにお年寄りが1人死んじゃったわけだ。

◉亡くなった人の多くは基礎疾患のある高齢者だった

あんな狭い空間に1カ月以上閉じ込められたら、誰でも健康を害するし、高齢者ならなおのことですし、持病があれば致命的になる。もっと言うと、あんな大型クルーズ船に乗れる人間は裕福なお年寄りばっかりで、若い人たちはカネがないので乗っていない。老後の楽しみで、あの世に行く前にちょっと夫婦で行こうや、そういう人たちがほとんどなんだ。みんな多かれ少なかれ病気を持ってるの。

一番多いのは糖尿病なんだけどね。亡くなった方も、そういう基礎疾患を持っている人たちだ。実際バタバタ死んでいるらしいとか、すごく怖いものだとみんな思い込んだりした。お年寄りは、解放されるときが一番危ない。ほんとだよ。ホッと安心したら、ポックリ逝くんだよ。お年寄りはこれがほんとに多いんだ。ああいう異常な狭い空間に閉じ込められた後の解放は怖いね。

PCRで陰性だったからというので出して、亡くなった後、調べてみたら陽性だったとか、陽性だと思ったら陰性になっていたとか、再び陽性になったとか、わけがわからない。これで、何度も感染するんじゃないかという情報が出てくるんだよ。死ぬまでに何十回感染するんだとか、テレビがものすごく不安を煽る。

RNAの長さがインフルエンザウイルスの15倍あると言われたんだけど、今は5倍から3倍に変異した。最初に15倍と言ったのは誰なのか。今の医学とか遺伝子分野では、15倍というのは絶対15倍だったはずなんだよ。そんな計測間違いなんてあり得ないのに、今では短くなっている。

この変異というのは自分の設計図であるRNAをつくりだす際に、何らかの原因で複製ミス（変異）が起こっているということです。

そしてこのスパイクタンパクをつくりだすmRNAを脂質でくるんだものがファイザーなどのmRNAワクチンです。

これを接種すると体内に送り込まれたmRNAによって新型コロナのスパイクタンパクができ、それに対しての抗体がつくられるという仕組みです。言わば〝遺伝子組み換えワクチン〟と呼ぶべきような代物（しろもの）が今、出回っている。これのトリックは後で説明しますけど、最初から何か妙なことばかりなんだよ。

理屈に合わないいんだけど、みんなが一斉に「オオカミが来た」と言い始めると、怖いから逃げるよね。オオカミ少年効果というんだけど、それに手をかしているのが日本医師会とテレビ局と自民党。この三位一体が毎日毎日不安を煽る。

それに乗って選挙で勝ったのが緑のタヌキ（小池百合子）なんだよね（笑）。あいつがテレビに出るたびに、何でも禁止、禁止で、「都議選」に立候補する連中が演説もできなくなってしまった。あいつだけは毎日毎日テレビに出てくるのに!! この仕掛けで、あの緑のタヌキは見事に化けたわけだ。自民党もこれで味をしめているだろうな。コロナは政治に利用できるということだ。

それで成功したのがアメリカの民主党のバイデン大統領だった。トランプは、あんなのは大したことないと言う一方、バイデンは、皆様方のためにワクチンを配ります、こんな大変な状況をつくったのはトランプですと言って、勝っちゃったんだよ。今や新型コロナは政局になった。ほんとだよ。

◉アメリカに金保有なし、日本の金鉱床を中国と狙う！

気持ち悪いんだよ。何だかわからないうちに、みんなが怖い、怖いと言って、一方方向に一斉に走る。これをレミングの群れという。レミングというネズミの一種は、ふえてくると一斉に群れをつくって走り始めて、最後は海や川に落ちて死んじゃうことがある。賢いレミングは止まって、ボーッとしていて助かる。

そうなってくると、何かジャイアンがかわいそうになってくる。今の中国がいいとは絶対思っていないが、出木杉の頭が良すぎるんだよ。ジャイアンの悪党ぶりがすごくシンプルに見えてきて、これはこれでえらいこっちゃだが中国もまた文句は言えない。一党独裁制だから。事実、情報を極度に統制しているし、バレちゃいけないことを無数にやっている。

これも先に言っちゃうと、アメリカは金の保有高がほとんどない。中国もほとんどない。中国は銅にメッキをしている。アメリカの場合は、映画の「007」でもあったけど、フォートノックスの地下に世界最大の要塞のような金保管施設があって、そこにはマスコミを絶対に入れない。あと、ウエストポイントにある財務省管理の金塊保管庫とニューヨーク連銀の地下金庫に保管されているといわれている。

金本位制をなくしたあたりから、どうもアメリカはおかしいんだ。アメリカは額面どおりの金を持ってない、使い尽くしているというのを証明した学者もいるぐらいなんだ。そのアメリカが一番欲しいのは金なんです。

日本は今、法律で国立公園、国定公園にある金鉱床を掘ることができない。国立公園、国定公園の多くは大体火山地帯でもっと言うと、日本の周りは、レアメタルもそうだし、メタンハイドレートもそうだけど、金鉱床も海底に露出している。アメリカも、ある意味中国も、日本を完全に自分の領土にしてしまいたい。邪魔なのはそこに住んでる日本人で、こいつらを殺してしまったほうが一番簡単なんだ。『魏志倭人伝』では日本は中国の支配下と書いてある。これは中国の領土だから、今の日本人は出ていけというのが中国人の考えだ。あいつら、2000年前の領土を平気で言ってきますからね。

　南シナ海は「シナ海」だから、俺たちの領土だとなる。日本には後漢の光武帝が金印を授けて中国の支配国として認めてやったんだから、中国領に住んでいる大和民族は出ていけという論法で、第一列島線、第二列島線の線引きになるわけだよ。特に第二列島線のスタート地点は東京で、中国から見たら、東京は中国領なんだよ。アメリカが交渉して、ハワイから東は中国領、西はアメリカで分け合おうじゃないかということまで相談していたぐらいだ。

◉ビル・ゲイツは菅を電話で脅して五輪開催へ

一方、アメリカは、日本人を全部殺してしまいたい。ほんとは原子爆弾19発の熱核反応で皆殺しにするはずだったんだけど、天皇陛下が、アメリカにとればやらなくてもいい玉音放送をやっちゃったわけ。あれがなかったら、日本人を超高熱と放射能で全部殺せたのに、殺せなくなっちゃった。

仕方ないから、日本の海岸線に原発を置くよう指示していった。それも活断層の上にね。その命令に従ったのが正力松太郎の読売新聞で、今のナベツネもそうだけど、正力もCIAの手先です。

その原子炉を電源喪失で一気に爆発、メルトダウンできるシステムを横田でつくったのがスノーデンです。横田基地の地下にあるNSA（アメリカ国家安全保障局）の施設で、そのプログラムをつくり上げた。「日本人があまりにも気の毒だから、私がそれを告白する」と言って発表したのが「スノーデン白書」なわけ!!

たったスイッチ1つで、東京電力、関西電力、四国電力、九州電力などすべての電源が落ちるんです。一気にですよ！　知ってました？　もう日本はムチャクチャですよ。

アメリカは本気で日本人を殺す気です。その後、アメリカの鉱物関係の大企業がやってきて、金を全部掘り尽くす。中国にやられるか、アメリカにやられるかの違いしか、日本には選択の余地がないんです。

後半で申し上げますが、やがて天皇陛下とともに日本脱出というのもありえる。驚天動地ですが、後で全部がつながってくるんですが、今はまだみんなボーッとして生きているだけです。

2021年が明けて間もなくビル・ゲイツが、オリンピックをやれと、ガース（菅）に電話をかけてきたんですよ。あいつはオリンピックに対して何の権限があるんでしょうか。あいつには何の権限もないですよ。あれではまるでビル・ゲイツ王国という国家の元首だよ。それがガースに、オリンピックをやるようにと命令してくる。

ガースは、「はい、わかりました。精いっぱい頑張ります」と言う。おかしいだろう。何かが変だろ。これ、気持ち悪くないですか？

◉現実がオカルトを超えた社会になっている！

理屈に合わないことが、まことしやかにどんどん起こってくる。だから僕は、現実がオカルトを超えたと言っている。これこそが2021年前半の最大のオカルト現象だよ。

大方のオカルト作家は、ツチノコがどうのこうのとか、UFOが何とかとか、いいかげんにしてくれよ。『ムー』（ワンパブリッシング）でさえ、最近、僕はちょっと疑問視なんだ。でも、『ムー』は、宗教も含めた哲学書ですから、いざとなったら哲学書で売りますと編集長が言っていました。なるほど、そういう道があったのか。そのうち『ムー』は哲学書コーナーに置かれるかもしれません。

僕は前作の『新型コロナと安倍独裁政権』の執筆途中で変だと思い始めたことがあった。僕も実は裏ルートがいっぱいありまして、時には汚い手も使って情報を得ました。するととんでもないことが次々とわかって、ある意味で中国がかわいそうになってきた。だけど、中国は中国でスネに深い傷がありますから、そこを蹴飛ばされたら、それはもうどうしようもないよね。しかし、アメリカはそれ以上に悪いわ。

◉ＰＣＲ検査の数字に振り回されて亡国の道

コロナ禍で非常に気の毒なのは、皆様方お一人お一人で大変な目に遭っていると思うのだけれど、特に飲食店が大変です。あのワタミが居酒屋から撤退だよ。焼肉店に変えて新事業展開ですよ、あり得ないよ。何度も言いますね。マスゴミが誘導して、オオカミが来たと言っているのは全部、感染者数です。ＰＣＲ検査をやらなかったら本来はわからない数ですから。

もっとはっきり言いますね。感染者をふやしたかったら、ＰＣＲ検査を頑張ればいいということです。逆に感染者数を減らしたかったら、ＰＣＲ検査をしなきゃいい。そしたらガーンと下がる。Ｇｏ Ｔｏ トラベルをＧｏ Ｔｏ トラブルと誰かが言ってましたけど、さじかげんでどうにでもなる数字に振り回されていたら、その国は滅びますよ。実際、日本の経済はこれから大変なことになってくる。

今まで皆様方はほとんど感じてないと思うんだけど、実はコロナ禍で、食べ物、野菜、果物、穀物の輸出を禁止する国がふえてきたんですよ。日本はカネがまだあるから、ムリでも買って、スーパーなんかで10円、20円、30円ぐらい値上げしてもやっているけど、アメリカがつくった世界システムというのは、経済重視の資本主義だ。

資本主義とは何かということは、いっぱい論文があるけれど、たった一言で説明できるんですよ。余った穀物は貧しい国に行かずにカネがある国へ流れるんです。大枚はたいて買いますから。余剰生産物は貧しい国々には絶対に行かない。余ったものほど経済大国へ流れていく。それが資本主義です。

◉コロナでは死んでいない⁉ 死者数もかつてと同じ⁉

皆様方が食べ残した分はものすごい量で、日本はアメリカと同じぐらい捨てている。でも、捨てているという感覚はない。例えば駅弁を買って、ダイエットで3割ぐらい残しておくぐらいで、特に罪悪感はないはずです。なぜなら、それまで全部食べちゃうと、太って成人病になるから。

中国なんか、注文すると2倍ぐらい盛って出てくる。豪快に残すことがカッコいいという国民性なんですよ。さすがに去年あたりから、習近平の命令でそれはなくなりました。アメリカのジャンクフードって、実際アメリカに行ったらわかりますがすごいですよ。日本でハンバーガーを食べても、ビッグマック程度じゃない。向こうに行ったら、驚くほどバーガーが高く積み重ねられ、その間にいろんなものが挟まっていて、串が刺してある。その高さを競い合うかのようにね。炭酸飲料のカップのLサイズなんて、ありえない大きさですよ。アメリカの映画館でポップコーンを食ってるやつを見てください。バケツ大の容器を1人で食ってます。

アメリカ人の8割は洋ナシ型の体型ですよ。それで飛び上がれずに、飛行機が落ちる事故が起きた。ほんとの話だよ。中型飛行機で、人数はちゃんと合っているのに落ちたんです。結局、通常客の倍ぐらい重さがあった。それは大変だというので、機内持ち込み荷物のサイズが変わった。理由はアメリカ人がデブになったせいなんです。ジャンクフードばっかり食うやつがいるので、体が悪くなって、だから体がバランスを失ってコロナで死んじゃうんだよ。コロナがなくても、アメリカ人の多くは成人病で死んでますよ。悪い脂肪や油分でギトギトですから。若いやつらでも、コレステロールがたまって、糖尿は当たり前。それでアメリカは何十万と死んでいる。あれは新型コロナではなく、放っておいても死んだ人間です。

後でも書きますが、アメリカで実際にデータをとった「ジョンズ・ホプキンス大学」のジュネーブ・ブリアン応用経済学研究員によると65歳以上の高齢者も、若い連中もそうだけど、アメリカの死者数は2019年と2020年を比較しても増えていないんです。コロナでは死んでないということで、「CDC（アメリカ疾病予防管理センター）」とマスゴミがコロナで多勢が死んでいるというふうに言いふらしている。それに対して戦ったトランプが負けたんだよ。トランプはコロナでマスクをしなかったので、みんなに叩かれた。トランプは、ある意味ジャイアンで、かわいそうだった。

笑えないのは、これで経済崩壊に世界中が向かっていることです。株だけがやたらめったら高い。おかしいでしょう。カネがあり余ってるから株式に投資するしかないわけですが、ワクチンが開発されたとなると、再び株がワーッと上がる。これはバブルですよ。それでこれで儲けてるやつがいるんだよ。売り抜けといって、下がっても儲かる。そいつらがコントロールしている可能性が非常に高くて、それに日本人も振り回されている。世界中の一般の人たちも同じように振り回されている。

今はワクチン接種で経済が戻ってきたように見えていても、再び変異株が出てきてロックダウンをするようになる！

◉リスクは分散させよ、電気自動車よりもハイブリッドだ

テレビが、右だ、左だと言っているときに、立ち止まって、「あれっ」と思った人は賢い。ワーッ、大変だ、大変だと踊らされる人は、現実がわからなくなっちゃうから、1回立ち止まって、逆方向を見たほうが正しい。

今、世界中が、これからはテスラのような電気自動車の時代だと叫んでいますが、ついこの間、僕はトヨタ車でハイブリッドの「ノア」という車を買った。僕の自説は、世界中が一定方向だけを向くときは、必ず逆が正しい。世界中が電気自動車になったら、えらいことになる。

一番わかりやすいのは、電気を入れるスタンドが高速道路にあったとして、フル充電までにどれだけ時間がかかるか。どんなに行列ができるか考えただけでゾッとする。高速充電するほどバッテリーは傷むため、仮に、充電場が車でいっぱいだ、仕方ない

から次のスタンドまでと言っているうちにトンネルの中で止まったら、電気自動車は電池がなくなるとテールランプがつかない。ガソリン車は、バッテリーが残っていれば、ガソリンがなくなっても電気はつくんだよ。電気自動車は停電も想定していませんから、いざ何かあるとほんとにアウトだからね。

トヨタが言ってたよ。トヨタはハイブリッドからは絶対撤退しない。リスクは分散させると。ハイブリット車はガソリンがなくなっても電池がある。電池がなくなってもガソリンがある。だから「ノア」は、ガソリン満タンで私の住む茨城から大阪まで一気に走れるんですよ。航行距離と書いてあるから飛行機かと思いましたよ。走れば走るほど充電するから、ハイブリッドはすごい発明です。

世界はそれを捨てて電気自動車へ向かいますが、電気はエコだと言ってるけど、原子力にしろ、化石燃料にしろ、電気をつくってるのは発電所なんだよ。何かがおかしい。風力やソーラーでは需要をまかなえる量の発電ができない。何か変だぞエコビジネス。誰が仕掛けて儲けているんだということになってくる。これは、悪い出木杉が世界に何人もいる証拠だよ。

もし太陽で大量にフレアを放出する「CME（コロナ質量放出）」が起きたとしたら、日本がお昼だったら、7分半ほどで到達する電磁波で変電所は全部焼き切れます。変電所が焼き切れたら、回復まで最低でも3年はかかります。3年間、電気なしの原始時代ですよ。電気自動車はどうするんですか。ハイブリッドだよ。リスクは分散させなきゃダメです。ある意味、ウイルスもそう。

●寿命で死んでもコロナが死因にされてしまう!!

1つの大きなショーだったクルーズ船「ダイヤモンド・プリンセス号」が、毎日、テレビで放映されていたとき、9・11でツインタワーが崩壊したときと同じにおいがした。なぜか。このオーナーはイギリスですよ。アメリカとイギリスは最強の同盟国で、イギリスを支配するのがロスチャイルドで、アメリカを支配するのがロックフェラーなんです。これはある意味、ロスチャイルド系の船だったんです。

これがすべてのワイドショーをずっと独占放送していて、大変なことが起こっている、こんなに怖いんだ。停泊させればさせるほど日本中に恐怖と不安が伝播するんです。そういう中で志村けんが死んだ。ワー、キャー、バタバタ状態で、いまだにその影響が続いているわけだ。だって、亡くなった当時の志村は71歳だよ。

日本のデータも出ましてね。コロナで死んだと言われているお年寄りの多くは80歳ぐらいで、80歳は大体日本の平均寿命（女性87・45歳、男性81・41歳：2019年）なの。それがすべてコロナで死んだことになっている。何か変なんだ。どこのどいつが仕掛けてるんだということですよ。

さらに公開しますと、65歳以上の高齢者の死亡者数は、コロナ禍以前の2019年よりコロナが猛威を振るった2020年のほうが、一万人も数が少なかった!! これはマスゴミがウソをついていることを証明している!!

◉アメリカ大使館＝極東ＣＩＡ本部！

答えを言います。東京にあるアメリカ大使館は、表向きはアメリカ大使館ですけど、スノーデンも暴露しましたが、あれは極東ＣＩＡ本部なんです。ＣＩＡが日本にあるわけないじゃんとふつうは思うでしょう。だけど、すぐ横は中国ですよ。ロシアですよ。北朝鮮ですよ。ＣＩＡがないほうが、国際常識的にはむしろおかしいんです。

エシュロンというのを聞いたことがありますか。盗聴システムですね。これはもちろん電線を使ったのもありますけど、電波も全部傍受しますよ。あれはアメリカ軍がやってるの？ 違います。ＮＳＡ（アメリカ国家安全保障局）です。当然、情報はＣＩＡも持っています。ＮＳＡの支局がアメリカ大使館にあるということもわかっている。極東ＮＳＡ本部は横田基地の中にある。そこにいたのがエドワード・スノーデンで、やつはＣＩＡとＮＳＡの両方を股（また）がけした男なんです。だからすごく頭がいい。

単にペラペラしゃべるバカ男じゃないんだよ。そして彼は技術者です。それもシステム分析の責任者だった。日本では、何か知らないけど変なやつというふうにテレビ局が操作してるんだけどね。

もっと言いますよ。NTTもドコモもソフトバンクもauもユーザーの裏切り者で、日本人の情報を全部アメリカに提供しますと、横田のNSA施設に直接訪れて契約を結んでいます。ほんとうですよ。スノーデンが暴露したんだよ。皆様方が使っている情報は全部、NSAへ提供しますと。そう契約してるんだよ各社すべてがね。自衛隊の基地の周りは、大体中国人が土地を買い占めています。水源も、ほとんど中国人が買い占めました。誰が許しているんですか。自民党が許しているんです。この国は独立国じゃない。多国籍国なんだよ。フランスもイギリスも日本を支配しています。これは本当だからね。

第2次世界大戦後、日本人はアメリカのダグラス・マッカーサーしか頭にないですけど、あれは連合国軍最高司令官ですから、フランス、イギリスもいまだに日本の支配権を握っているんです。どうしてでしょうか？　仮に極東有事の場合、フランスの戦艦は日本の船を追い出して、日本の港を自由に使えます。こんな独立国なんかありません。植民地以下です。そこでボーッと生きているのが日本人なんですよ。

ボーッと生きるようにさせているのがテレビ局の仕事なんです。テレビばかり見せればいい。自動的に自民党が勝つようにもっていくわけです。自民党以外の政権になったら、いざというときには、3・11みたいなことを起こし、その政権を転覆させればいい。実際3・11の後に誕生したのが安倍政権ですよ。3・11は民主党政権のときに起きています。

小沢は田中角栄の懐刀だった。小沢が裏で政権をほとんど牛耳るようになったら、ご存じのとおり、検察が出てきて、小沢を冤罪逮捕するよう「陸山会事件」を捏造するんですよ。小沢が追い出された民主党は、その後、宇宙人が支配するようになっちゃって、何かわけがわからないことを言い始めて、完全に骨抜きになった。そして菅直人みたいなのが出てきて、みずから原発の上空を飛んで手動操作中のベントの邪魔をして、いくつかの偶然が重なってガス抜きできなかった結果、爆発して、悲惨なありさまになった。

それで安倍晋三が言うわけです。「あんな地獄のような政権に戻りたいのか」と。桜を見る会も含めて、無敵となった安倍はムチャクチャなことを平気でやっている。だって何をしても国民が許しているんだから。この国は、極論でしょうが、天皇陛下以外は独立してませんよ。それをみんなが知らな過ぎる。

◉赤ちゃんも死なないほどの風邪よりも無毒なウイルス

そういう中で「ダイヤモンド・プリンセス号」の事件が起きて、最後には専門家が、これは飛沫感染じゃない可能性があると言い始めた。どういうことかというと、エアロゾルで感染するという次のステージに上がったわけです。だからマスクをしても飛沫感染以外はダメなんです。エアロゾルといったら、飛沫よりももっと細かい直径5㎛（マイクロメートル）以下の微粒子が浮いた状態で、1時間、2時間、3時間たてば、次々とうつることになります。「ダイヤモンド・プリンセス号」の中で、むしろ密閉状態の部屋でうつっていくということを言って、また脅かすんです。何度も言いますね。エアロゾルだろうと何だろうと、赤ちゃんや幼児も死なないほどの無毒性なんですよ。うつったところで、若者も高齢者も大したことないんだよ。医師会のどんな偉い人間でも、感染学を学んでない医者はド素人です。今、テレビにしょっちゅう出てきているのは、どこかの大病院の院長とか、感染学に関係ない偉い医者です。感染学を学んだ医者は数％しかいない。これでは何か気持ちが悪い。出てくるのは全部政府お抱えの医者ですよ。

その代表格と考えられてきた「コロナ分科会」の尾身茂会長が、自民党の五輪決行方針に対し、「今の状況でやるのは普通はない!!」と同調しない態度を示したのは、同調圧力重視の中で大変な勇気と思われる。

皆の前で注射を打つ政治家の映像が出てくるけど、僕は知ってるの。テレビの前の政治トップの大統領などは、大体ビタミン剤か栄養剤を打っています。ユリ・ゲラーなんか、スプーンを曲げながらビタミン剤を打ってるんです（笑）。僕に言わせると、あいつはＣＩＡだから打つわけがない。情報を持ってるからね。強烈なパフォーマンスだけどね。何度でも言います。目の前で打たせているのはビタミン剤です。みんなだまされています。

エアロゾルとはえらいことだというので、換気装置から何から備えることになる。もちろんそういう特殊な換気装置を特別につくって、専門の企業が儲けてますよ。しかし地下にあるような飲食店はどうしようもないので大変な問題になっている。

何度も言っているとおり、感染した人は風邪よりも軽い。風邪とかインフルエンザで死ぬお年寄りは毎年出ていて結構多いんです。でも、毒性から見ると、新型コロナはほとんどない。赤ちゃんが風邪を引いたら、下手すると死にますよ。

◉エアロゾルで感染することはない

僕もマスクはします。でもこれはパフォーマンスです。してないと、店から追い出されちゃうんだよ。嫌な目で見られるから着けておくんですけど、マスクをすると、ほかの雑菌まで口元に湧いてくるから、むしろ他の雑菌の感染率が高くなります。

でも、春には杉花粉が飛んでますから、それはブロックできます。花粉の粒は大きいから、僕がマスクをするのは花粉のためですね。最近、中国から黄砂(こうさ)まで飛んでくる。ＰＭ２・５とか、中国の化学物質がいっぱい飛んで来ますから、春の時期は最悪です。だから僕は、皆様方がマスクをしているのはコロナ以外で効果的だと思っています。

自警団のようなものができて、例えば「私はマスクをしません」ということを主張した家には貼(は)り紙が貼られたり、ちゃんとした換気装備をつけてないお店には貼り紙が貼られたり、警察に訴えますとか、実際にあるからすごいんだわ。これは一種の脅迫というか同調圧力というか、怖い話だ。

僕がエアロゾルに対して非常に疑問を持ったのが、トランプとバイデンの討論会のときです。後で公表されたんだけど、あのときトランプは既に感染していたはずなので、飛沫感染を防ぐための5メートルの距離は維持されていたんです。でも、トランプはバイデンに向かって、約1時間以上どなり散らした。そうなると、エアロゾルがバイデンの頭の周りにどんどん降り注いでいたはずなんだ。絶対にエアロゾルが飛んでるの。当たり前なんだよ。観客席のほうから見てもそうなんだ。でも、バイデンは全く感染しなかったんだよね。何かが変なんだよ。

その後でトランプが感染していたことがわかって軍の病院に行くんだけど、すぐに出てくるし、平気で人と会ってるだろ。強いトランプの強調。しかし、何か変なんだよ。もちろん感染したということは確かでもいいよ。しかし、退院が早過ぎるだろう。

考えてみれば、たしかに新型コロナの毒性が低かったよなということになるわけで、そこで改めて気がつく。トランプはずっとそれを言ってたんだけど、実際そうなんだよね。支持率が下がると困るから、途中でマスクをし始めるんだけど、これは世界中に仕掛けられた大きなトリックにトランプでさえ乗せられたことになる。そこで新しいプラットフォームが一体何なのかということが課題になってくる。

ちょうどそのころ、実におかしなことがあった。道路ができ、街ができると、そのプラットフォームには道路建設会社が当然入ってくる。家ができれば建設会社が入ってくる。工場ができたら、そういう企業がやってくる。そこで石油がとれたら石油企業がやってくる。そしてこれは1つだけじゃない。

◉中国の5G製品で軍事情報も抜かれてしまう

そう思ってくると、あるとき中国がボコボコに叩かれたのは、いわゆるチャイナウイルスとか、カンフーウイルスとか、カンフルーという言葉まであったが、中国を悪者にする理由が当時のアメリカには2つあったんです。5Gですよ。今現在ファーウェイは、中国がコロナ禍を一応脱したというので収益が上がったとはいっても、肝心の5Gのスマホ業界から下手をすると撤退というところまで来ている。

5Gが何で問題かというと、日本のLINEどころじゃない。LINEは中国からも個人データが見えるし、韓国からも見える。さっき言ったように、日本には国境がない、いわゆる無国籍国なんだ。日本のアニメが世界を支配するのは当たり前ですよ。

日本のアニメは無国籍なんです。ドラえもんだったら、畳が敷いてあるからわかるけど、それ以外のアニメのほとんどは無国籍でつくられている。なぜなら日本が無国籍だから。

政治はアメリカに任せ、アメリカ大使館は在日コリアンに任せている。岸信介も佐藤栄作も竹下登も安倍晋三も、あの小泉純一郎も全部コリアンです。アメリカはコリアンとしか条約を結びません。日本人とは絶対に結ばない。田中角栄とは絶対結びませんでした。当たり前ですよ。田中は日本人だから。日本は国じゃない。世界中が自由にしていい国だ。蹴飛ばすのも自由だ。そこにいるのは世界の奴隷の日本人なんですよ。

最後は、日本人は要らないから、日本という土地を中国がとるか、アメリカがとるかイギリスがロシアがとるかだけだ。そのせめぎ合いに実は今ある。尖閣(せんかく)とか、あんなのは本当はどうでもいい。アメリカにとっては、台湾をとられるほうが痛手なんです。なぜかわかりますか。

ファーウェイがなぜ勢力が落ちたかというと、中国は世界の半導体の技術力では2

周遅れで、ウエハースと言われる半導体をアメリカがストップしたものだから、動くにも動けなくなっちゃったんです。ところが、世界最大規模の半導体の工場が台湾にある。だから中国は台湾が何が何でも欲しい。

もっと言うと、実は台湾は諸島なんですよ。無人島まであるから。中国はまず周囲の島々を制覇する。まだ今は台湾は攻めませんよ、しばらくはね。

日本のマスゴミはただのワイドショーです。みんな専門家じゃない。タレントとか、吉本のお笑い芸人とか、そんな連中ばかり並んでいるでしょう。話にならない。そういう連中が、ああだこうだ、ピーヒャラ、ピーヒャラやっているわけです。よその局にも同じお笑いが出ている。司会が入れかわっているだけだ。これはほんとに日本人をバカにしてます。

事実、テレビ局は視聴者をバカにしています。ちゃんとした学者や専門家がテレビに出たときに払われるおカネがいくらか知っていますか。5000円ちょっと。電車賃も出ませんよ。でも、吉本の芸人には年間1億円も払うんです。吉本本体に払われているのは1人十数億円だよ。吉本の芸人は1億円で、専門家は5000円です。それが日本のテレビ局の仕組みです。

日本は国じゃない。アメリカが何をやっても文句は言えないし、日本人は黙々と働くだけ。奴隷ですよ。これに早く気づかないと、テレビを通してどんどん洗脳されて、バカになっていくばかりだ。バカが極まったときにこの国から一掃されます。恐ろしいシステムが今、動き始めている。

例えばファーウェイ製の５Ｇが出ると、軍事から何から、ものすごい量の秘密情報まで瞬時に抜き取られるんです。アメリカだって危なかったが、トランプがそれを防いだ。ドイツも含めてヨーロッパはすべてファーウェイ製でできるはずだった。軍事も全部の情報が５Ｇを通して抜かれるはずだった。それをトランプがコロナを利用して中国の謀略を叩き潰した。

次世代高速通信というのは非常に恐ろしい。３Ｇ、４Ｇ、５Ｇと、ジェネレーションアップしていく。俗に言うところの４Ｇの時代はミツバチが消えていった。５Ｇになったら鳥がバタバタ死んでいった。鳥だけじゃない牛とか哺乳類もバタバタ死んでいった。５Ｇのスマホを使う人間は、頭の中が電子レンジの状態になり加熱される。

これを世界に蔓延させるんだよ。だから、アメリカは地域によっては禁止。その理由は、映画がわずか数十秒でダウンロードできる以上に失われる健康、環境、安全への不安なんだ。

この5Gを一番進めているのが日本ではソフトバンク。そのトップの孫正義は在日コリアンです。あの会社は、戦後日本を救った男、白洲次郎をイヌにしちゃった。マッカーサーと対等に戦った男をイヌにしたんだ。そのCMをつくったのと同じ人間が東京オリンピックで、太った渡辺直美を豚にするオープニングを考えていた。そんな電通というのは、もともとそういう会社で、博報堂とは違う。日本は、やられ放題ですよ。ソフトバンクのメインバンクはみずほです。これは韓国系ですね。

LINEは120%が韓国です。普通の取りとめのない会話はいいですよ。動画も含めて、会社の重要会議もLINEでするバカな会社がふえてきた。全部韓国に抜かれますよ。

この国は自分の国というのを持っていない。なぜかというと、「サンフランシスコ講和条約」（1951年）はあくまでも平和条約の締結で、連合軍の日本駐留継続を認めている以上、独立国ではないし、「国連」の敵国条項からも外されていない以上はいまだ占領下にあることになる!! 放浪の民や。

アメリカにしても中国にしても、日本は独立国ではないので日本人を追い出しても構わないんです。日本人は南極大陸のペンギンと同じでどうでもいい存在。ロスチャイルドもロックフェラーもそのつもりでいる。

せいぜいアメリカの自治領で、プエルトリコと同じようにアメリカ大統領選には関われないが米軍基地を置かねばならない!!

もう1つは、世界中は今、貿易するときは全部ドルでやる。いわゆる世界通貨ですよ。必ずドル建てという形でやるようになっている。だから、基軸通貨として間に必ずアメリカの銀行がかむようになっている。出木杉君は、何もしなくても手数料で儲かるようにした。そのアメリカの言うことを聞かなかったら、そこを止められちゃう。わかりますね。そうすると、イランもそうだけど、北朝鮮も外国と貿易ができなくなるんですよ。

中国はそれを電子化しようとしているわけです。アメリカを通さず、しかも人民元で電子化する。要は、これで中国は基軸通貨で世界を制覇できるわけ。それをトランプが止めたんだよ。ところが、大統領選があったから、1年以上、空白期間ができてしまう。それで仕掛けたのが、武漢にコロナウイルスをまくということ!!　その間トランプは堂々と選挙運動ができたわけです。

◉日本人の特殊な遺伝子には入り込まない!?　緑茶も効果的！

何で日本はコロナの死者が欧米先進国の1％台なのか。死者の数が1％少しというのは常識的にも全く理屈に合わない。考えられる理由は2つしかない。1つは、新型コロナウイルスをつくってばらまいたのが日本人だという疑念。宿主は死なないんだよ。人体実験をしているから免疫も持っている。一番のワルは日本人で、つくったやつが死なないのは当たり前だという理屈になる。

もう1つは、日本人に特殊な遺伝子があるという理屈。「プロジェクトX」じゃないよ。さっき言ったiPS細胞の山中先生が言う「ファクターX」とは、理屈に合わない理由があるという理由。世界中で不思議がるわけで、日本がいくらバカな国でも、ウイルスをばらまくことはしないだろうと思うけど、1％しか死んでないのは最大のミステリーといえる‼

きっと食べ物のせいじゃないか。これはある意味、事実なんだよ。コンブとか海草を食べているのは、実は日本人ぐらいのもので、ワカメは世界の海岸線では雑草やゴミ扱いです。全部捨てちゃうので日本企業が買い取るんだけど、ああいうワカメとかのヌルヌルが血液をサラサラにするんだよ。

高齢者たちが死んでいく一番大きな理由は、血栓ができることのようです。肺梗塞が心臓に行くと心筋梗塞になる。脳に入ると脳梗塞になる。これをサラサラにするには、和食を食っている日本人は最強なんだよ。まずお味噌汁のもとは大豆です。豆腐も納豆も血液をサラサラにする効果が大きい。

一番強烈なのは緑茶で、殺菌効果があって、ウイルスも一緒に死んじゃう。番茶でもそこそこ力がある。京都の宇治の近くの小学校なんか、インフルエンザのときは緑茶でうがいする。だから子どもたちは元気で、ほとんどインフルに感染しない。

欧米と違って、土足で部屋に入らない。病院とかに行った靴で部屋に入ってくると、そこで第2次感染が起きる。日本は下駄箱で必ず脱ぐ。あと、やたらめったら風呂好きだ。1日1回は風呂に入る。

そういう意味で言うと、そういう食習慣とか日本独特の習慣があるから1％台となる。しかし、1％は少な過ぎるだろう。今現在わかっているのがレセプター（受容体）です。なぜコロナウイルスかというと、スパイクというトゲトゲがついている。こいつが細胞のレセプターとピタッと合うと、そこから潜り込む。卵子に精子が行って、レセプターを合わせて入り込むのと同じだよ。日本人はレセプターの形が白人と微妙に違う。だから、スパイクがあっても合わないから細胞内に入らない。これを「ファクターX」というらしい。もともと日本人は遺伝子の中にそういうものがあるということがわかってきた。おまけに食習慣から何からすべて欧米人とは違う。

◉新型コロナは、やはり人工的なバイオ兵器！

そこでふっと気がつかなきゃいけない。そのころからアメリカで、新型コロナはどうもバイオ兵器じゃないかということを、台湾の学者とかが言い始めていた。バイオ兵器だとしても、もとになる細胞が必要だから、白人の細胞が使われたということが、レセプターの型でわかる。ロシア人といっても、スラブ系だから、純粋な意味で白人とはちょっと違うだけである。

極端なことを言うと、EUのどこかの国、例えばイギリス人はアングロサクソンじゃない。みんなだまされているけど、歴史を見ると、イギリスはアングロサクソンと戦って、アングロサクソンを追い出しています。あれはゲルマンなんです。ドイツ系なんですよ。エリザベス女王もドイツ系です。第1次世界大戦のときはドイツ系の「ハノーヴァ朝」から名前を「ウィンザー朝」へ故意に変えています。アングロサクソンだと思わせているだけです。要はみんな化けてる、化けてる。ウソつきばっかりですよ。

もっと言えば、ゲルマンは、ロシアもそうですけど、フランス以外の王室は全部ドイツ系です。これはものすごく大事です。なぜヒトラーがあのときあれだけのことをやってのけたか。これはまた別のことだから、今回は言いませんけど、いずれ公表するかもしれない。

ところで、中国を叩き潰すのにコロナというのは非常に都合がよかった。おまけに、武漢はコウモリの活きづくりを頭からバリバリ食べることでも知られていた。僕が中高生のころの中国といえば、人民服を着て、ものすごい数の自転車が北京市内を走っているイメージなんですよ。

例えば、今はポラロイドもなくなっちゃったけど、日本の富士フイルムがつくったインスタントカメラは、今、中国で大ウケです。なぜかわかりますか。彼らは見たことがないんです。もともと中国はチョー貧しい国で、カメラなんか持っている人はほとんどいなかった。フィルム式のカメラから一気にデジタルカメラに変わったので、彼らはデジタルカメラしか知らない。その場でプリントアウトされるカメラを見て、進んでる！　と言うんです。

何を言っているかといったら、パクリ国家でものすごい速さで環境が変わったために、時代がおかしくなっている。日本企業が工場誘致で中国に随分行くんだけど、機密書類やデータが全部抜かれるんです。金庫があけられて、大事な書類から設計図から全部盗まれる。これをチャイナリスクというんだけど、中国共産党はパクった外国の技術で今の中国をつくり上げた。

新幹線といっても、あれはひどいものだ。船もそうだし、ステルス戦闘機も落ちるし、どうしようもない。今、アメリカと戦っても、中国が圧倒的に勝つのはムリだ。中国の海岸線はちょっとですからね。最近ようやくロシアから手に入れた航空母艦がちょっと外洋に出たんだけど、船酔いがひどくて、すぐに帰ってくる。

中国というのはそういう国なんだよ。明治時代の日本と今の東京が一緒になってまじってるイメージと考えればわかりやすい。超高層ビル街の下で、テンとか猫とかの生肉をバンバン売っている。向こうはコウモリの活きづくりがラーメンに入っていて、バリバリ食うんだ。それで超高層ビルに勤めているわけだ。それが武漢。アメリカはそこを狙ったんだ。近くに、どう考えてもバイオ兵器をつくっている研究所がある。立地条件としては最高だった。

じゃ、ばらまいたとしたら、アメリカが直接行ったのか。いや、極東の日本にアメリカ大使館がある。日本名にロンダリングした在日コリアンが多勢いてアメリカに雇われている。そこから常連の2人が選ばれて、武漢でウイルスをばらまく。中国政府がなかなか発表しないから、アメリカが別ルートで発表した。いまだにどこで漏れたか、はっきりしてない。アメリカがやったとしか思えない。アメリカは年に5回かな、25セント硬貨（クォーターコイン）を出すんだけど、ちょうどそのとき（2020年2月）に食用コウモリの「サモアフルーツコウモリ」の図柄の記念硬貨を発行している。バカ過ぎるだろうと思うが、一般では偶然で済んじゃうんだよね。

◉アメリカ内乱、分断化が進行中⁉

第2次世界大戦に勝利した後、イギリスの英雄チャーチルが自信満々に選挙に出て落選した。理由を知っていますか。チャーチルは有事のときだけの人間だとみんなが知っていたから。

トランプが落選したのは、トランプは、中国をあれだけ追い詰めたからもういいや次は温厚なバイデンで……。そういう意味でいうと、トランプも有事の人間だったのかもしれない。いいように考えればね。でも、トランプが言ってるよ。だまされた、ほんとは大統領選で勝っていたと。僕もそう思いますよ。でも、ＣＩＡが裏切ったら、いくらトランプでも勝てない。身内に裏切られるんだから。

トランプのこれからの役目は、バイデンを大混乱させて、アメリカを分断することだよ。アメリカは合衆国と言っているとおり、州が集まっている。州によっては民主党の知事がいるし、共和党の知事がいる。隣接しているところも結構多い。それぞれの知事は州軍を持っている。州軍は知事しか動かすことができない。もしこれからバイデンが暗殺されたり、前の連邦議会議事堂占拠みたいなことが起こると、州と州が戦争する事態もありうるんだよ。

事実、アメリカ人に数年前のコロナ以前に、日本は刀狩りで刀を全部捨てたのに、何でアメリカ人は銃を捨てられないのかと聞いたときに、彼らが言うのは、「アメリカ政府は信用できない!!」、「アメリカ政府が自分たちを武力で支配してきたときに戦うために銃で武装する!!」と言っている。アメリカの議事堂を占拠した連中は、もともと銃規制に賛成していた共和党の人間であれを見てたら、彼らの主張がわかる。もしちゃんと選挙が行われていたらあんなことなかったろうけど、不正が行われたら断固として戦うのが、アメリカ人のスピリットの中に入っている。日本人はそんなのはとっくに失って、ボロボロですけどネ。

アメリカに行くとわかるがほとんどが荒れ地です。そこにオアシスみたいにポンポンと大きな都市があって、ハイウェイが通っているだけですよ。深夜、ハイウェイを走ってください。アメリカライオンなどの肉食獣がゴロゴロいます。車で止まっていると、真っ暗で全く見えないけど、近くで肉を食っている音がバリバリする。銃がなかったら家族を守れませんよ。町なかでは銃は要らないが隣の家まで60キロ離れているなら、自分の妻子を守るのにライフルは要るよ。どんなやつが来るかわからないんだから。そういう国だということです。

要は、自分たちの自治、自由、独立を奪うなら、政府でさえ叩き潰すというのが、アメリカ人のスピリットだ。そういう連中の1つの象徴がトランプで、トランプがまだ生きていて、支持するとなったら、アメリカは大混乱です。その大混乱するアメリカを中国に見せることによって、中国に「今しかない」と思わせるようにする。6年後ぐらいに中国が台湾に攻め込むと言っているけど、新しく着任するアメリカのインド太平洋司令官は、もっと早くなると言っている。大混乱に乗じて、来い、来い、パールハーバーに攻めてこいと言っていることになる。だから、またやるよアメリカは!! そのとき日本はどうするんだということなんだ。

こういうふうに話すと、過激派のレッテルを貼られそうだけど、政治オンチ、軍事オンチな人でも気づいてもらえることは大いにあると思うね。逆に言えば、日本はいかにふにゃふにゃのコンニャクのようになっているかということなんです。よく漫画でコンニャク戦法といって、一番強いようだけど、酔拳と一緒で、酒びたりになるから、やっぱりちゃんとやらないとね。

◉"緑のタヌキ"に振り回される東京都

ワクチンは当たり前ですが打ちません。僕は医療関係の人とも知り合いが多いですが、同調圧力がすごいんですって。医者がワクチンを打たなかったら、患者さんにうつすじゃないかとね。看護師さん、あなたがお年寄りにうつして、その方が亡くなったらどう責任をとるんですかと言ってくる。その圧力たるや、すさまじくて、断れないらしいですよ。病院によったら、院長命令で全員打つようにする所もある。

でも、それは法律的にはできない。法律があるんですよ。ワクチンの場合は、打つときにちゃんとサインが必要なのね。だからワクチン接種を強制する人間は、自主的に打つことを自分から選んだというふうに忖度させるんですね。

詳しいことは後半で話すけど、あれはワクチンじゃない。ざっくり言っちゃうと、ｍＲＮＡが溶けている〝イトミミズ溶液〟です。普通、「生ワクチン」というのは弱ったウイルスやバクテリアを使い、「不活性ワクチン」は毒素を弱めている。例えばの話、コロナウイルスが半死の状態で浮かんでいるのが生ワクチンですが、中に入っているのはｍＲＮＡの一部が露出して浮かんでいる溶液です。ワクチンじゃない。これを皆、打たなければと思っているわけだよ。

感染者がまたふえた、第４波だ、第５波だ、第６波だとその度に打つことになる。これを政略に最大限に悪用しているのが、緑のタヌキです。言うことを聞かなかったら罰金とまで言い始めて、権限を振りかざしている。

緑のタヌキは次期総理大臣を狙っていますからね。またあれが、東京都民の女性たちに人気があるんだよ。男性陣をアゴで使う女性の時代だ、象徴だとね。

あれほどウソつきはいない。カイロ大学は卒業していません。ウソ八百です。あいつの家系は、４代前は正体不明なんだよ。テレビ業界出身でしょう。戦後、アメリカの協力で石油業で大もうけした家系だが、「在日特権」「在日就職枠」をフルに使った可能性がある。在日コリアンのクォーターの小泉純一郎のグループですし。ウソつきで、恥を知らないでしょう。恥を知らない民族なんだよ。

だから、東京大手町の平将門（たいらのまさかど）の首塚を平気で更地にできるわけで、日本人なら、あんなこと平気でできませんよ。あれを許可するのは最終的には知事ですからね。普通、この時期にやる？ 日本人ならやれませんよ。怖いですから。

◉トランプは、コロナのウソをよく知っていた！

ＰＣＲというのは、難しい話だけど、ポリメラーゼ連鎖反応というのが正式な呼び方なんですね。電気自動車のテスラのイーロン・マスクは、ＰＣＲ検査で陽性が出ちゃった。前から彼はＰＣＲはウソだと知っているから、別のところへ何軒も検査を行った。そしたら、陰性が2カ所で出た。クルーズ船から出て、陰性から陽性に変わったり、陽性から陰性に変わったり、PCR検査をすればするほどコロコロ変わる。もちろん変異しているということも含めての話だけどね。変異しているといっても、毒性は変わらないんですよ。mRNAといって、変異する所がわずかずつ変わるんだけど、ここは感染力だけが変わる遺伝子なの。毒素は変わらない。だから、いくら拡散しても全然平気なんです。ただ、感染速度が速くなるだけなんだ。

トランプが言ったんです。こんなのは（自然界のものなら）いつか突然消えると。トランプは正直なんだ。あれだけ正直な男は、ジョージ・ワシントン以来初めてと言えば皮肉に聞こえるかもしれない。この男は有言実行の男だけど。トランプは政治家じゃない。ビジネスマンなんですよ。ビジネスマンは、言ったことをちゃんとやらないと株主から見放されますからね。トランプはちゃんと実行して、ちゃんと正直に言っているんだけど、政治的に正直過ぎて、バイデンみたいな政治の悪党にやられちゃうわけです。

バイデンはオバマ政権の頃からウソつきですよ。まず、自分が健康だと思わせるために、入場するときは必ず小走りですが、トランプは堂々と歩いてくる。小走りで、俺はこれだけ元気なんだというウソを振りまいています。しかし、タラップを歩くときに、コテンコテンとひっくり返るわけですよ。犬と遊んでいて骨を折るし（笑）。あいつはウソつきなんだよ。

正直者がバカを見るというけど、トランプはバカ正直過ぎたんだな。バカ正直過ぎると、ＣＩＡやＮＳＡにとったら、だんだんとうるさくなってくる。だからバイデンに乗りかえたというのが本当のところだろう。要は、中国に対して強烈にやる大統領がスコーンと抜けた。バイデンは、環境問題でまず中国と相談して、そのかわり徐々に中国をなじませていく戦略「戦略的忍耐」を今やると軍部がうるさいから、とりあえず言うことを聞いているだけだ。あの男の方針は昔から、長い目で見て云々（うんぬん）という、いわゆる政治屋なんです。

トランプは即決なんだよ。即大統領令、即禁止。あいつは違う。トランプがやったことの禁止令を次々ひっくり返していますけど、アメリカ経済はこれでガタガタになると言われている。恐らくそうなるでしょう。一時的にもり返しても長くは続かない。そうなると、中国にとったらチャンスになる。

◉CIAが武漢でコロナをばらまいた!

アメリカは3匹のヘビで構成されていると言われている。1つは大統領、1つは議会、一番強いヘビは最後のヘビのペンタゴン。軍産複合体といって、軍と巨大産業が一体化している。これが一番強い。ここに逆らったら、大統領は暗殺される。軍と直結しているのは特にCIAで、CIAが東京にあるアメリカ大使館だ。このCIAがもくろんで、武漢でコロナをばらまいた。

僕がそのことを『ザ・フナイ』で公開したら、すぐ広尾の中国大使館が反応して、日本型のコロナウイルスという名称で発表した。アメリカと日本が手を組んでコロナを中国でばらまいたということを中国大使館が発表したものだから、もとの情報は僕なんだけど、中国では、アメリカ死ね、日本死ねと、えらいことになっちゃった。あちこち看板が立った。それはすぐに抑えられたけどね。今、僕はうかつなことは言えない。Ｚｏｏｍでもうかつなことは言えないな。

◉飛鳥昭雄がオウム真理教のネタを提供⁉

パナウェーブ研究所の白装束の集団だってそうだ。千乃裕子（ちのゆうこ）代表に旧テレ朝近くの喫茶店で会って、「私はスカラー波で狙（ねら）われてる。アメリカが私を狙ってる」と言うから、「日本のおばさん一人に、アメリカが莫大（ばくだい）な予算をかけて衛星を使ってスカラー波を発射するようなことはしませんから」と言ったら、「何言ってるの、あなたは」、ギャーギャーギャーと、ものすごいんだよ。喫茶店が大変なことになっちゃって、こっちまでおかしいと思われるから、つい、

「どうしても信じられなかったら、信者を連れて日本中を回ったらわかりますよ」と

言ったら、ほんとに車で隊列を組み全国を移動しはじめた。あれは結果的に僕が回らせることになった。これはあまり声を大にしては言えないんだけど、時効だからいいかと思ってますけどね。

麻原彰晃のオウム真理教だってそうだ。サティアンなんかに飛鳥本がゴロゴロ転がっていて、新宿とかで信者集めでばらまいている会報を見たら、僕のプラズマ兵器のことがいっぱいコピペしてあった。まるで僕が協力してオウムをつくったみたいじゃないですか。冗談じゃない。大変ですわ。

◉バナナをPCR検査したら……

年をとってくると、目の中にちっこいミミズみたいなのが光を通して黒く見えない？　あれは加齢によって眼球の中に細胞の破片みたいなのが浮かんでいるんですよ。あれを一個一個のDNA、もしくはRNAの細切れ状態だと思えばわかりやすいんだけど、あれの細切れの一部を見つけ出して、分析して、ふやしていくのがPCR検査です。

これは検査に絶対使っちゃいけないとPCR法の発見で1993年にノーベル化学賞を受けたキャリー・マリス教授自身が言っている。

例えばバナナの遺伝子と人間の遺伝子は60％一致しています。バナナと60％同じなんですよ。バナナと一致している部分の破片をPCR検査で分析すると、バナナは実は人肉だということにもなり兼ねない。バナナを人間の遺体であると発表するのがPCR検査なんです。いかに狂っているか。例えば、何をやってもPCR検査で陽性になったり、実際、風邪を引いただけでコロナになっちゃうんですよ。

CDC（アメリカ疾病予防管理センター）はえげつないですよ。高齢者が肺炎を起こしていたら、コロナにしていい。交通事故でお年寄りが死んだら、それもコロナで死んだことにしてよく、その場合は1人につき140万円病院側に支払われる。人工呼吸器を使うと1人の患者につき400万円が支払われ、病院に次々と診療報酬の点数がふえる仕組みを作った。だからアメリカで人工呼吸器が足らなくなった。それで中国が寄付するというバカげたことが起こったわけだよ。何ともない普通の人に人工呼吸器をつければつけるほど、病院に莫大なカネが入る。それをCDCが許可した。

こうなってくると、おかしなことになってくる。猫もしゃくしも、何でもいいから全部コロナということになる。誰が仕掛けてるんだということだ。軍産複合体ですよ。議会でもないし、当時のトランプでもない。一番動いたのはCIAなんだ。この連中が裏で徹底的にそれを推し進めた。ばらまいたのはCIAだ。

◉NSAとCIAの対立、飛鳥昭雄のバックにはNSAあり⁉

NSAとCIAは、実は仲が悪いんですよ。FBIは国内の問題、CIAはアメリカ国外の問題。暗殺したり、国家を転覆させたり、それは全部CIAがやるんだよ。NSAというのは、エシュロンを使ったりして情報を全部制覇して、ここでしゃべっていることも、実はすべて筒抜けになっているかもしれない。スマホのマイクを通して、アメリカ大使館が全部傍受している可能性がある。専門的に言えば、スマホに電池が入っている限りは電波が出ているから、オフにしてもダメです。

だから、僕はあまりやり過ぎると、何年前だったか、夜に同じヒカルランドパークでセミナーをやっていたら、ガラス窓がドカンドカンと何度も震えたことがある。あれはちょっとしゃべり過ぎた。今はまだそれが起こっていないということは、この程度はしゃべってもいいということか（笑）。

もっと言うと、高野誠鮮氏のバックにはCIAがついている可能性があり、僕のバックにはNSAがついているかもしれません。CIAとNSAは同業で仲が悪いから、高野誠鮮氏も生きているし、飛鳥昭雄も生きている。この理屈はすごくシンプルだけど、相当剣ヶ峰で複雑なんですよ。僕は、ここでしゃべる情報量の数十倍をアメリカに提供しています。自分の身代金で（笑）。そのかわり、向こうからも情報が来る。

僕らがしゃべっている程度のことは、Zoomを使っても、ネットを使ってもオーケーなんですよ。なぜなら信じる人が少ないから。アメリカは屁でもない。ガス抜き程度。また飛鳥昭雄は話を盛ってるとか、しょせんオカルト作家じゃんとか、書いているのは『ムー』じゃんとかね。

逆に、『ムー』で書いている作家だから助かっているのかもしれない。『ムー』は、今のところ最強の雑誌だよ。天皇家のことは何を書いても構わないし、ユダヤのことも何を書いても構わない。『週刊文春』や『週刊新潮』でユダヤのことを書いたら、えらいことになる。しかし『ムー』は構わないんです。僕はそこの作家だから、『ムー』の作家相手に目くじら立ててなんて言われる（笑）。僕にとって今のところ『ムー』は隠れみのになっているから、お陰で話せるわけですよ。

◉ＰＣＲ検査のいい加減な結果をまだ信じるのか！

はっきり言っておきます。ＰＣＲ検査というのが一番の元凶なんだ。まるで水戸黄門の印籠（いんろう）みたいに、「このＰＣＲ検査が目に入らぬか」とくる。ＰＣＲ検査を受けて陽性だったにもかかわらず、ワクチンを打たなかったら罰金を取られるかもしれない。

そういうふうにＰＣＲ検査でワクチン接種への道を開いていこうとしている。

もっと言うと、ＰＣＲ検査が陽性反応の人は、もう1回受ければいい。陰性になってるから。それくらいにいいかげんなんだよ。テスラのイーロン・マスクＣＥＯはそれだった。陰性になっちゃった。それも何回も陰性になった。もう1回やったら陽性が出たけどね。そういうもんだとイーロン・マスクは言っている。だから、やつはマスクをしません。

さっき言ったように、ＰＣＲを検査に用いたら、何でもかんでもコロナになっちゃう。それとＣＤＣがやっているように、コロナにしたら莫大なおカネが病院に入る。こういう2本立てでアメリカはイギリスと組んでワクチン接種を狙っている。それに対して、日本の自民党はＣＩＡがつくった政党だから、アメリカの言うことを聞くのは当たり前。ビル・ゲイツが「オリンピックをやれ」と言ったら、ガースは「はい、わかりました」と言って、意地でもやる。コロナが蔓延（まんえん）しているところでも聖火リレーをやる。これは全部ビル・ゲイツ様がおっしゃっているからだ。

このビル・ゲイツをつくったのは日本だよ。因果応報というか、そこは日本人は責任を持たなきゃ。責任取れや日本人、ということなんだよ。ところが、そんなことはもう誰にもできない。

◉新型コロナウイルスをゲノム分析……「これはアメリカ製だ」

実は、もっとすごいことがある。新型コロナウイルスの遺伝子配列をゲノムで分析した結果、とんでもないことを発見した人がいて、「これは人工ウイルスでアメリカ製だ」と発表しようとした。劉兵（リウビン）という人物はピッツバーグ大学医学部の助教授で、専門はコンピューターシステム生物学で、コンピューターはビル・ゲイツと重なる。すると、細胞のメカニズムに明らかにビル・ゲイツのグループが入れ込んだものを発見した。普通じゃわからない。コンピューターの技術を持った医師でないと絶対にわからない仕組みを見つけたという。それをマスコミに報道しようとした寸前に暗殺された。劉兵が使っていたノートパソコンが全部消えていた。これはえらいことだよ。

容疑者は郭浩（ハオ・グ）という中国系の男性で、この男性は1・6キロ離れた車の中で自殺していた。

僕はこれを聞いたとき、J・F・Kの暗殺を思い出した。オズワルドを殺したことによって、結果、オズワルドの単独犯行にしたが、これはCIAの常套（じょうとう）手段なんだ。ロシアの暗殺はプルトニウムなどの放射性物質を飲ませる。イギリスは、パラソルもしくはステッキの先に仕込んである毒を刺して暗殺する。各国で独特の暗殺がある。日本はなぜかドアノブで首を吊る。

◉死亡する高齢者の数は、毎年同じ！

アメリカのジョンズ・ホプキンス大学は、ハーバードに匹敵する全米でもトップクラスの大学です。ここにジュネーブ・ブリアンという女性がいて、CDCが公表しているデータを使って、とんでもないものを発見した。

前にも言ったけど、コロナで死んだ人の数が、毎年全米で死亡する高齢者の数と一緒だということがわかったんです。コロナで死亡したのはこれだけだというのは、アメリカのABCでもイギリスのBBCでも発表するんだけど、国内の高齢者死亡数とかいうのは、日本でもそうだけど、発表しない。CDCはその部署があって、ちゃんとデータをとって、それをネットで公表している。それを調べてみたら、ほとんど毎年の死者数は同じで変化していない。つまり、高齢者の死亡数はコロナ禍でも一緒だった。何にも起きてなかったということなんですよ。

逆に日本はむしろ1万人も減っていたんです。それは、本来なら誤嚥で死んでいた高齢者が病院に入れられて命が助かった。要は、何にも起きてないということなんです。これは大変なことで、これを例えば地上波で公開したら最後、出入り禁止は当たり前。編集で全部カットですよ。今、ニュースとワイドショーだけが生放送でしょう。パパパッとしゃべって、椅子を蹴って出ていくしかないね。それぐらいしないと、この国はどうしようもない。

話をアメリカに戻し、それでどうなったかというと、彼女がそれを大学のホームページで発表したら、即削除。削除理由は、こういう間違ったデータをテロリストが利用しないように削除したと。テロリストはどっちなのか。これは間違いなくアメリカのもう1匹のヘビ、軍産複合体の中のＣＩＡが動いていますね。もちろんＮＳＡも協力していることは間違いないんだけど、ＣＩＡも動いている。

もっと言うと、ＣＩＡはアメリカ国内では権限がないはずです。ところが、ＮＳＡは、オバマのときから権力の支配が国内にも及ぶとして、国民一人一人の個人データを全部調べ始めた。そんな権限はないはずなのに、オバマが許可を出した。あのオバマですよ。

善人ぶってますけど、オバマはほんとはとんでもない悪党でノーベル平和賞まで取ってますけど、こいつは日本を利用した。原水爆を禁止させて減らすと約束したのに、結局何もできなかった。このままじゃノーベル平和賞を取ったくせにと言われるため、大統領をやめる寸前に日本に来て、広島に行った。それで広島の被爆者とハグして、その写真が世界中に流れた。日本はさんざん利用し尽くされるんだよ。芸人のノッチがオバマそっくりで有名になったけど、もう1回チャンスが来る。世界統一政府でオバマが世界を支配したとき、また人気が出てきますよ。

◉ビル・ゲイツ批判はＹｏｕＴｕｂｅ上で検閲・削除対象

今回、なぜビル・ゲイツが怪しまれるかというと、アメリカではビル・ゲイツは完全に悪党です。インターネットでもそうだけど、マイクロソフトの元社員とかが次々と暴露しています。それをＹｏｕＴｕｂｅが必死に削除している。飛鳥昭雄も、たった3分しゃべっただけで即削除です。びっくりしました。ＹｏｕＴｕｂｅですよ。それも音声だけで動画じゃない。僕はメルマガの宣伝しかしていません。それが即行削除されている。それの詳しいいきさつは「打つな！飲むな！死ぬゾ!!」（ヒカルランド）に載っているけど、ビル・ゲイツを悪く言ったら、即、削除される世の中って一体何が起こっているのか？。

ＹｏｕＴｕｂｅに未来はないなと思いました。それどころか、次にもっと詳しく話しますけど、フェイスブック、グーグル、ツイッター、この辺を含めてGAFAは今、アメリカ議会で大変なことになっている。YouTubeは解体されるかもしれません。そうなるとユーチューバーは生き残れないな。

収益システムは、チャンネル登録が1000を突破したら広告宣伝を出せますが、これで食っている人たちは大変ですよ。結構額が多いですからね。億万長者になったのは、アメリカでは子どもだったかな。ところが、グーグルがいろんな子どもの個人データを勝手に使っていたため、大問題になった。もちろん18歳を超えないと受け取りは無理だから、親が受け取るんだろうけど、YouTubeで子どもに何億というおカネが振り込まれるのは狂っている。

要は、それがどんどん過激化しているということです。YouTubeは残るかもしれないけど、ユーチューバーと言われて、ものすごくおカネを稼いでいる連中は、間違いなく食えなくなります。だって、親会社のグーグルからカネが入っていたため、グーグルの解体でできなくなるからです。

アメリカの議会は大統領のアカウントを永久削除できるほど権力を持ったフェイス

ブックやツイッター、そしてＹｏｕＴｕｂｅに法のメスを入れようとしていますから、ＹｏｕＴｕｂｅだけが無事で済むわけがない。無料で、いい動画をどんどん出して、皆で楽しむ本来のＹｏｕＴｕｂｅに戻ればよく、みんなで大儲けしようぜという人たちは一夜にしてどん底に落ちる。アメリカは怖いですよ。やっぱり地道にやるのが一番いいです。

◉［Q&A］トランプはイルミナティと戦おうとしている？

質問者A　２０１７年から海外のネット掲示板で暗躍しているQもしくはQアノンという集団によれば、今の大統領はいまだにトランプであると。人身売買組織を一掃したり、ケネディ大統領がやろうとしていた政策を裏で行っていると主張しています。これも、コロナ騒ぎに乗じたNSAもしくはCIAの工作の一環なのでしょうか。

飛鳥　トランプはそれをやろうとしているんですよ。トランプはイルミナティと戦おうとしている。ほんとだよ。人身売買、特に幼児を誘拐して、いけにえの儀式をやっているのがロスチャイルドです。ロスチャイルドはイルミナティという名前で、これはフリーメイソンとは無関係です。日本の都市伝説の有名な連中は、イルミナティがフリーメイソンだと言っていますけど、それは違う。黒いメイソンといわれたアルバート・パイクもいたが、アメリカのフリーメイソンに潜り込んだイルミナティの１人だった。

実はフリーメイソンといったら、アメリカでは慈善団体で、各コミュニティーが全部バラバラなんです。全体として連動していません。ライオンズクラブとかロータリークラブも全部、フリーメイソン系ですから。ボーイスカウトだってそうですよ。イルミナティというのは、フリーメイソンではなく、ロスチャイルド、ロックフェラー系を指します。

アメリカが独立したとき、ほとんどが正教徒（ピューリタン）で、英国国教会から迫害をこうむった人たちでした。もともとはカトリックは大嫌いだったし同時に、「ベニスの商人」の代表格のロスチャイルドは絶対拒否だったので、ロックフェラーを潜り込ませてアメリカを裏から支配しました。この連中とトランプが戦おうとしているることは事実です。同じように戦おうとしているのがロシアのプーチンなんだね。だけど、どっちも聖人君子ではない。そういう形で言うと、トランプが生きている限りは、アメリカでは生きた火薬庫がいるのと同じことになりますから、１９６０年代、僕が知っているころの古きよきアメリカの時代は、もう二度と訪れることはありません。

アメリカの大統領選では、伝承というか、言われていることがあって、アメリカの大統領選挙でモルモン教徒と女性と黒人が出たら、アメリカは一気に終わりに入ると。これは1つの予言なんだ。そしてすべてが成就しています。モルモン教徒の大統領候補だったウィラード・ロムニー、女性の大統領候補だったヒラリー・クリントン、そして実際に大統領になった黒人のバラク・オバマ。普通、絶対ありえないという3つを挙げた結果、ある意味、これが予言になっちゃったんだね。

僕は、トランプは善人という言い方はしません。彼はビジネスマンですから、政治屋ではない。だから正直に言っています。だって、言わないと、自分の会社の株が暴落しますから。ビジネスマン、CEOの一番重要な仕事は、言ったことを必ず守ることです。これは、今までのアメリカの政治家でやる人間は1人もいません。

J・F・Kだって実は怪しいところがあるんだけど、暗殺されるぐらいだから、はるかにマシでしょう。トランプは、よきにつけあしきにつけ、政治家という見方で分析すると間違いを犯します。

◉【Q&A】トランプも利用されている？

質問者B　トランプのバックにはロスチャイルドがついていたのではという意見については、いかがでしょうか。

飛鳥　ロスチャイルドが何であれだけ急激に大儲けしたかというと、戦争で儲けたのです。特にナポレオン戦争（1803〜1805）のワールテローの戦いのときに儲けました。それ以後、戦争している2国に融資する。わかりますか。両方に武器を売って儲ける。そして後で回収する。戦争をする当事国同士にカネを貸す。今もそうです。それでつくったのが世界の金融システムです。今の金融システムをつくり上げたのはロスチャイルドです。ローンもそう。サブプライムローンなんか、その最たるものです。

トランプも、そういう意味で言うと、バックにいたのはヘンリー・キッシンジャーなんですね。キッシンジャーはロックフェラーの番頭と言われていたアシュケナジー系ユダヤ人です。ロックフェラーはロスチャイルドの傘下にある。構図が見えてきましたね。だから、トランプも利用されていた。アメリカに大混乱を起こさせるために必要なのがトランプの発言であり、Qアノンなんだ。それを信じる人たちが集まって、そのうちに大きく発火します。あっちこっちで発砲事件が起きる。1つの町で銃撃戦が起こると、州と州が戦争する。一番喜ぶのはロシアと中国です。アメリカ混乱の中でロシアは一気にEUに攻め込むでしょうね。

今、イタリアで、スパイのことで大問題が起こっている。最近、株価がおかしいことに気がつかないといけません。何がおかしいかといったら、株の手数料がケタ違いにふえた。皆、ほとんど気がついていない。例えば、100円の手数料が1日で倍にふえた。何が起こっているのか。日本の所有しているタンカーがスエズを止めただけで、EUの海軍とかが一斉に集結し始めた。何で。不測の事態が起こったとき、戦争が起こる可能性が高まるからだ。

一方、茨城県のルネサスエレクトロニクスの半導体工場で不審な火事が起こった。

いまだに原因がわからない。どっちも日本。日本は利用し尽くされる国のようです。フランス海軍が来たら、中国と仲が悪いイギリスもやって来ている。仮にイギリスが「どけ、どけ」と言ったら、日本の船は全部日本の港から追い出されるんです。だって連合国軍に負けたんだから。いまだに戦勝国のイギリスとフランスは、日本の施設を自由に使ってもいいという権利を有している。それが現在の国連の正体なんだよ。日本の方々は何を考えてるの。独立国だと思ってるの。アメリカの奴隷じゃん。だから、今回のコロナだって、このままいくと、一番被害が起こるのは日本ですよ。

◉【Q&A】アメリカ軍人がコロナを広めた?

質問者C　2019年10月、コロナ発生前に武漢で軍人オリンピックがあって、コロナワクチンを打ったアメリカ軍人が中国に警告したことで広まったという説については、いかがでしょうか。

飛鳥 これはアメリカに利用されていますね。実は、その前に新型コロナが発生して、空港が閉鎖されてどうのこうのという軍事訓練を中国はやっていた。そのときの名前が新型コロナウイルス。アメリカは出来杉君なので、ジャイアンなんて敵じゃないですよ。頭がよ過ぎるから。ジャイアンは猪突猛進型だから、中国は絶対にアメリカに勝てない。

◉【Q&A】マイクロチップより怖い遺伝子レベルの操作あり？

質問者D 今、打とうとしているワクチンには、マイクロカプセルとか、そういうものは仕組まれているんでしょうか。

飛鳥 あれはハリウッド映画だよ。俺が昔からアメリカに行くたびによく言われたのは、軍人のここ（腕）へ猛毒が入ったカプセルで打ち込んで、アメリカが携帯の電波を使って押すと、パチン、パチン、パチンと割れて、瞬殺できる。よくイヌ、ネコにカプセルを打ち込んであるでしょう。その延長上で来てるんだけど、アメリカの場合、やっぱりハリウッドだな、アメリカ人だなと思うのは、マシンなんだよね。超マイクロチップが遺伝子に組み込まれている。これは某おもちゃの部品と同じようなものだけど、それがまるで一体化して入っているという考え方ですね。実際、アメリカ軍もいろんなマイクロ兵器を考えていることは事実で、血液の中に入れるやつもある。でも、遺伝子の大きさまではできていません。

ビル・ゲイツはマイクロソフトをつくった男だから、きっとアメリカ的にはそのほうがウケがいいでしょうね。でも、僕が言っているのは違う。遺伝子なんですよ。これはまた次回詳しく言うけど、これは機械だから。ほんとのチップは、現時点では遺伝子に組み込むことは不可能です。ただ、並んでいる原子にチャッチャッチャッチャッと当てて、文字をつくることはできる。でも、そこはまたちょっと違う。機械は使われていません。

チップが埋め込まれているというのは、アメリカ人ウケはするとは思うんですが、本当は遺伝子でそれができる。4つの塩基でできちゃうんです。わざわざちっこい配線が入ってるということではない。

Part2は、もっと怖い話ですよ。ただの遺伝子じゃない。それはマイクロチップなんかのレベルより、はるかに恐ろしいものです。これは専門家でも、理論的には可能だけど、今つくるのはさすがにムリでしょうというレベルのものだよ。

次は、ワクチンについて、驚天動地というか、まだ僕が公表していないものを含めて、とんでもない世界が開けている。それをいいほうに使えば天国ですが、必ず悪いほうに動きますから、それは地獄のありさまになる。そこから逃れる方法はあるのかということまでお話しします。

以上、ご清聴ありがとうございました。（拍手）

Part 2

［転結編］

人工ウイルスとワクチンで
合法的大量虐殺！
ビル・ゲイツが狙う世界支配

NY
打つな！飲むな！死ぬゾ!!
飛鳥昭雄
新型コロナワクチンとビル・ゲイツの罠

◉地上波テレビに真実報道なし

僕は敵前視察を目的とする以外に地上波テレビは一切見ません。極論として言っておきますと、ほとんどがウソなんです。なぜ多くがウソなのかということをお話ししてから本題に入りたいと思います。

これを言う以上は勇気が要ります。僕はもう地上波テレビは一切出ないと公言している立場なので言うことができます。オカルトであれ、政治問題のコメンテーターであれ、彼らは本当のことを言うと次から仕事がなくなるんです。これがテレビ業界なんです。体制維持が目的で、どのチャンネルをつけても、ワイドショー、政治ショーはすべて同じことを言っています。ＮＨＫもそうです。特にＮＨＫの場合は、自民党に逆らうとすぐキャスターのクビが飛びます。そういう状況下ですので、こういう場でないとなかなか本当のことを言えません。でも、説得力がないと全く意味がない。

ただの陰謀論で終わってしまうだけです。

◉東京都知事はＩＯＣ利権の言いなり

ざっくり申し上げます。今回、緑のタヌキで皆様方は大変ご苦労しているわけです。彼らは否定するんですけれど、緊急事態宣言であれ、まん防（まん延防止等重点措置）であれ、東京オリンピックをやるために、ＩＯＣ会長トーマス・バッハの言いなりです。これはすごく簡単なことなんですが、ＩＯＣは何がなんでも五輪をやってほしい。極端に言うと、会場に人を入れなくても、日本人のプレーヤーだけでもやってほしいんです。

なぜか。ＩＯＣの収入源は放映権料なんです。これを牛耳(ぎゅうじ)っているのがアメリカのコムキャストで、ＮＢＣなんかがそうです。そこからＩＯＣに放映権料が振り込まれます。五輪がなくなれば、ＩＯＣは次のオリンピックのもとになるおカネがなくなってしまうんです。だから、日本人がどんなに苦労しようと関係ない。とにかく五輪さえやればいいというわけです。

それに協力しているのが自民党と緑のタヌキです。緑のタヌキが協力するのは、五輪を成功させた有能な東京都知事になりたいのと、自民党に恩を売りたいからです。次の次の総理候補は小泉進次郎です。この男の次の総理を狙うために、緑のタヌキは東京五輪開催都知事の成果を盾に自民党に復党します。

もう政治的にはストーリーが決まっているんです。そこで点数稼ぎをする必要があるので、飲食店がいくら潰(つぶ)れようと一切関係ない。自分さえよければいい。それで「三密」とか「まん防」とか「緊急事態宣言」とか言っているんです。これは小泉純一郎と全く同じで、「抵抗勢力」とかのワンフレーズで一気に自分の人気をかち得るやり方です。

この女は、もともとテレビ東京のキャスターでした。僕もいろいろ調べたんですが、4代前になると出どころがはっきりしない。ところが、戦後はGHQの恩恵を受けるんですね。占領軍から優遇されて闇屋(やみや)で名を成し、その後の石油利権でどんどんのし上がっていった家系です。当時は芦屋近郊に豪邸があったが没落します。実は、戸籍謄本や除籍謄本で1970年代の前半ぐらいまでは本人の出どころが調べられました。本当の日本人か、そうでないのか。それを自民党が70年代の中頃に全部破棄させたんです。なぜか。問題はそこなんですよ。

その辺のことを言うと差別だとかヘイトスピーチとかで話がそれますから、個人の追及はこれぐらいにします。今回はコロナワクチンというイトミミズ溶液についてお話ししなければいけない。

◉電通の利権に踊らされるオリンピック

電通も非常に怪しい組織です。もともとは1901年に創業した日本の純然たる広告宣伝会社だったんですが、戦後はGHQが介入するようになりました。当時、名前を日本名にロンダリングすることが一斉に行われたのですが、電通に日本名「吉田秀雄」という非常に怪しい男が入ってきてから、急にアメリカが電通を援助し始めるんです。

この当時、はっきりわかっているのは、皆様方が知らない間に、在日特権法、在日就職枠法をＧＨＱが決めて、すべての大企業、大学、霞が関もそうですが、在日であれば優先的に採用しなければいけなかった。ある大手新聞社は去年までそれをやっていました。ほかの多くのテレビ局は今もやっています。もっと言うと、安倍晋三が首相だったときは、毎年2万人の大学卒の韓国人を日本の大企業へ就職させていました。要は、数十年たつと、ＮＨＫも含めて、すべて在日朝鮮民族の重役陣が治める体制になるんです。これは皆様がボーッと生活している間に起こっていることです。

現在もそれは進行形です。電通は特にひどいですね。あの企業は日本人の概念が全くない。日本人の理想のお父さん白洲次郎を犬にしたり、日本人の世界的芸人女性の渡辺直美を豚にしたり、そういうコマーシャルを平気で制作します。というか、率先してそういうことをやりたい企業なんです。

僕が生まれる1年後の1951年に、吉田秀雄は「鬼十則」を掲げて電通に乗り込み、戦後、日本が復興する以前に、「もっと使わせろ」「もっと捨てさせろ」「もっと無駄遣いさせろ」「季節感を忘れさせろ」と拳を振っています。いかにアメリカナイズされた教育を受けているかということです。今ならまだわかります。でも、1951年にこんなことを言う日本の企業経営者は誰もいませんから。「贈り物をどんどんさせろ」「組み合わせで買わせろ」、これは当時のアメリカでも最先端ですよ。どこで知識を得たと思いますか。「何でもきっかけにしろ」「流行遅れにしろ」「気安く買わせろ」「混乱をつくれ」。これで電通を日本のトップワンに押し上げた。売り上げは博報堂の4倍です。電通にはアメリカがどんどん後押しをしています。

言っておきますけど、アメリカ大使館はＣＩＡ本部ですよ。単なる平和的な大使館じゃありません。中国、北朝鮮、ロシアに近い位置にある極東にＣＩＡ本部がないと考えるほうがおかしい。

◉森喜朗（もりよしろう）への合法的政治献金を誰が引き継ぐのか

電通はオリンピックのことでコケにコケて、今、大赤字です。オリンピックをやらないと電通は潰れちゃうんです。コロナ禍で一番大変だった2020年12月期の連結決算の最終損益は1595億円の大赤字でした（前の期は、808億円）。放映権も含めて、ここで無理でもオリンピックをやらないと電通は潰れる。ＩＯＣも潰れる。とにかくオリンピック、オリンピック、オリンピック……。日本人はどうなろうと構わない。でも、1人だけ助ける必要がある。森喜朗だ。この森喜朗はロシア領で生まれたコリアンといわれています。

森喜朗はオリンピックの最大メインの人物です。セクハラ発言で辞任しましたけどね。あの男は言えば言うほどセクハラを起こすから、切りがない。だけど、いまだに院政を敷いていますから裏に隠れているだけです。橋本聖子なんか森の教え子ですから。東京オリンピックにかかわった大企業はすべて、オリンピックをやらないと森喜朗にキックバックが入らないんです。キックバックというのは、合法的政治献金、企業献金のことです。ぶっちゃけたことを言うと、莫大な合法的賄賂のパーティー券です。

自民党は悪質なんだよ。皆様方はあまりそれをご存じない。パーティー券には限度があって、１社につき７５０万円から1億円です。でも、これにはトリックがある。その仕組みを自民党がつくったんです。例えば、○○建設のグループ企業が10社あれば、それぞれから最大１億円までもらえるんです。東京五輪で何社関係していると思いますか。ものすごいキックバックが森喜朗の懐に入ってくるんです。森喜朗はこれが欲しく仕方がない。だから、いまだに院政で居座っているわけです。

オリンピックをやらないと、基本的には建設会社はカネを払う必要がなくなっちゃう。払ったとしても１００万円とかね。あの男は、とにかく何百億、１兆円ぐらいは欲しいんだ。合法的だから誰も逮捕できないんです。これにはちゃんと引き継ぎがあって、次は小泉純一郎、次は菅とか、順送りなんだよ。大阪でもうすぐ万博がありますが、あれも全部、基本的には自民党が開催ですから。そのときに院政を敷いているのは森喜朗じゃなくて、次の総理経験者にバトンタッチしているだろうな。

◉小泉純一郎の知られたくないルーツ

小泉純一郎は、もともと鹿児島県の朝鮮部落の朴（パク）という男です。菅（すが）もそうだ。あれは「カン」とも読みますよね。キムとかパクと同じなんです。一文字の苗字はもちろん日本人にもありますが、朝鮮系の人たちは、もともと苗字は一文字ですから、日本名にロンダリングするときは一文字のほうがなじみがいいので、どうしても一文字になっていくんです。

小泉のおやじは、「鮫島（さめじま）」という鹿児島県の有力な一族の名前を勝手に使い日本人の有力一族に化けました。特に日本の場合、日韓併合のときは、創氏改名といって、名前を自由につけていいことになっていましたからね。戦後も名前を変えるときは勝手につけるんです。明治維新のときにもあった。お百姓さんは苗字がなかったから、「木の下だから、木下にすっぺかあ」とか、そういうふうにしてどんどん姓ができていったんです。

結局、小泉の一族は関東に移ってから暴力団の系統に養子に入り込んで、「小泉」という名前に変えました。いまだに鹿児島県の地元は、小泉純一郎が朝鮮部落の出身だということを口が裂けても言いません。地元の恥だから。これが問題なんだ。田舎の人間はしゃべらないから、だから日本中がわからないの。そこを彼らは悪用していますから。誤解のないように言っておきますと、僕は何も在日コリアンの人たちが悪いとは決して思わない。ただ、日本人の足をすくおうとしたり、政治を牛耳ってコントロールしようとするのが大変な問題だと言っているわけです。

◉中国企業は自衛隊の基地周辺を買収している

例えば、韓国と日本が戦争状態になったときに、在日コリアン、李氏朝鮮系の首相だったらどうなると思いますか。大変な問題になりますよ。現場の自衛隊がいくら戦おうとしても、日本は文民統制（シビリアンコントロール）ですから、そのときの政権のトップの言うことを聞かなきゃいけない。要は、「しばらく待て」と言うだけで、自衛隊が韓国軍に一方的に攻撃されちゃう。中国軍からもですよ。全滅してから戦えと言ってくるわけです。それで「ちょっとタイミングが悪かった」となるわけ。

こういうことが起こり得るんだよ。怖いですよ。だから僕は声を大にして、「皆様方、日本って大丈夫？」と言いたいわけ。実は全く大丈夫じゃないんだけどね。

例えば、日本の水源のほとんどは中国が押さえています。中国が日本人にミネラルウォーターを飲むなと言えば、皆様方は一切飲めなくなります。中国企業は、自衛隊、特に海上自衛隊も含めて航空自衛隊の基地の周りの土地を全部買っています。全部ですよ。それを自民党は許可しています。これは何？ そういう中で起きているのが今回のコロナ騒動なんです。

小池都知事が何かを言えば言うほど政局になっているんです。都議会選（２０２１

年7月4日）もありますね。前の都知事選（2020年7月5日）のときも彼女は同じことをやっています。対立候補が選挙演説に苦労する緊急事態宣言の中で、緑のタヌキだけが連日連夜テレビに出て顔を売っていました。ニュースとワイドショーは小池百合子の顔しか出ない。これで勝ったんだよ。小池は政局にコロナを利用するんです。そして、短いキャッチコピーをどんどん出してくる。

いまだにバックで小泉純一郎とつながっています。その小泉純一郎とつながっているのがアメリカ大使館です。次の次の総理が「セクシー」の小泉進次郎になる可能性がある。皆様方に拒否権はないですよ。決めるのは自民党ですから。

こんな仕掛けがガチャッとはまって、今こんな状態になっているわけです。これをまず、日本の有権者は基本的に知っておかないといけない。

◉新札切りかえの恐ろしい真の意図

今回の大騒動はまだ続きます。ＰＣＲ検査をやる限りは、来年も再来年もずっとコロナ禍は続きます。ＰＣＲ検査は、ただの風邪ひきでも陽性にできる検査法ですから。花粉症でも陽性になるんです。そのうちに、櫛（くし）の歯が抜けるように、次々と日本の中小企業は潰れていきます。

そこで渋沢栄一が出てくる。１万円札の新札切りかえです。これで高齢者たちのタンス預金を引っ張り出すんです。自民党は、たしか電子マネーに変えると言ってなかったっけ。何で今頃新札なのか。「○月○日までに旧札はボツになります。今のうちに新札と変えてください」という仕掛けなんです。若い人たちにはスマホ決算を止めれば十分だよ。あれは自民党がお年寄りのタンス預金をオレオレ詐欺以上にふんだくるんです。もっと言えば、たんす預金を自民党のバックにいるアメリカにふんだくらせるんです。

同時に、預金を引き出せないようにするんです。これを預金封鎖といって、日本は戦後も同じことをやっています。「２カ月たったら半値、３カ月たったら４分の１になりますから、早く切りかえてください」と言えば、みんなウワーッと銀行に走ります。自民党がオレオレ詐欺を行うわけです。

新札切りかえをする2024年には、日本経済は青息吐息になっています。そうなると、アメリカからIMF（国際通貨基金）が入ってきます。日本の借金を立てかえて回収しようとするアメリカの措置です。ロックフェラーがカネ返せと言ってくるんです。

今、赤ちゃんを含めて国民1人当たり1200万円ぐらい借金があるとされています。あれを返せと言ってきます。日本人はバカ正直だから返すんだよ。返す必要ないのに。日本政府にだまされているから。ネットを見ますと、「日本の借金」の下に必ず「国民1人当たり」というのがありますね。あんなことをやっているバカな国は日本だけですよ。いまだに信じていますから。鳥越俊太郎も日本人の借金を信じていました。

返すというのは逆なんだよ。日本人が国に貸しているんです。だけど、アメリカの命令で日本人は完全にマインドコントロールされていますから、身ぐるみ剝がされて最後にはホームレスになる。でも、アメリカの奴隷だから我慢するんだよ。これを

「ゆでガエル」といいます。ゆっくりゆっくりボイルしていって、最後はゆでられて死ぬんです。死んだ後、アメリカ、ロシア、イギリスが日本を再占領をしに来ます。そのときには中国は存在していません。そして、眠っている金鉱床をすべて戦勝国が頂戴するという仕掛けです。

腹が立ちませんか。今はその途上です。これからが本番ですから。皮肉を込めておもしろくなってきますよ。

◉肺炎球菌ワクチンは打っておけ

もう少し具体的なことを言いましょう。僕は10年前から、「40歳を過ぎたら、もしくは60歳を過ぎたら肺炎球菌ワクチンを打ってください」と言っていました。5年間有効で、僕も打っています。有名人でも歌舞伎俳優でも、みんな肺炎で次々と死んでいる世の中です。

誤嚥といいまして、歳を取ってくると、よくゴホッ、ゴホッ、ゴホッと咳込んでいるじゃないですか。食べているときに間違って気管に入ってしまうのはよくあることです。寝ている間に胃液が出てきて、ウハッとなったりするだけで肺の中に入っちゃう。１回入ると、治療しても治療してもどんどん体が悪くなって、最後は入院しても死ぬんです。それを防ぐために、本当に有効なワクチンなんです。

空気中には球菌が無数に浮かんでいます。これで扁桃腺が腫れたり、様々な悪さをするんです。これが肺の中に入ると、肺炎を起こす。一旦、肺炎を起こすと、お年寄りは抵抗力がないから、どんどん悪くなって、最後には死んじゃうんです。でも、肺炎球菌ワクチンはこれをほぼ完全にブロックしてくれる。80歳になっても90歳になっても大丈夫。これを打とうという政治的アピールを自民党は一切しないんです。

なぜなら、年金が大赤字だから早く高齢者には死んでほしい。こんな連中の言うことを聞いていたら、えらいことですよ。これは実は今回のコロナ大騒動の肺炎にもすごく有効なんです。ＰＣＲ検査を受ける必要もなくなる。昔から世界中で安全が確かめられている肺炎球菌ワクチンを１本打つだけでコロナ対策はオーケーです。

もっと言えば、今まで日本でもブラジルでも、世界中で年寄りは肺炎で年間60万人とか１００万人とかのオーダーで死んでいました。ところが、これが全部新型コロナで死んだとなると、ウワーッと大騒ぎになっちゃうんですよ。

◉ＰＣＲ検査よりも抗体検査、抗原検査

もちろん肺炎球菌ワクチンは一番いい方法なんだけど、世間が何だかんだうるさいから、せめて抗体検査を受ければいいんです。ＰＣＲ検査じゃないですよ。抗体検査は今までもずっと行われてきた検査法で、迅速検査なら15分でオーケーです。今はキットも売っていますが、正確な方法は多少高くなっても迅速検査より精密検査のほうがいい。

抗体というたんぱく質が出てくるから、自分が過去にコロナに感染していたことがわかる。すなわち、これでワクチンを打つ必要がないとわかるんです。これはすごい

重要なことです。抗体検査をやっていればオーケーなのに、自民党は絶対にPCR検査しかやらせないんです。

ややこしいですが、抗原検査というのもあります。抗体検査をすると、白血球とかがコロナを食い尽くした残骸物、要はコロナの死骸が出てきます。PCR検査も、大間違いほとんどだけど、基本的には同じです。コロナの死骸があるということは、もう既に食い尽くしているから大丈夫なんです。それなのに、PCR検査では陽性になって、「はい、ワクチン」となるわけです。

最近では、抗体検査しても念のため「ワクチンを」と言ってきますから要注意です!!

◉遺伝子組み換えワクチンは超危険!

新型コロナウイルスはRNAウイルスです。DNAとRNAがあって、DNAは二重らせんで、ＲＮＡは1本です。新型コロナウイルスはインフルエンザの大体15倍の長さがあると言われています。最近はちょっと短くなったようですが。変異する場所は決まっています。例えば、ミミズの首のほうが白くなっていますよね。わかりやすく言えばあそこだけが変異します。ここは重要なところですよ。猛毒化しないで感染力だけが変化するように仕組まれているんです。

あれはワクチンじゃないですからね。イトミミズのｍＲＮＡの部分だけを浮かせた溶液を打っているんです。怖いですね。こいつが人の免疫細胞の中に入って、遺伝子を組み替えちゃうわけです。これは大変ですよ。ところが、これをアニメにするとかわいいんだ。トゲトゲがある新型コロナウイルスの中には、ウニャウニャウニャとミミズがいます。アニメにすると、中がスポーンとなくなって、外側のトゲトゲだけがかわいらしく残っている。それに対して反応しますよと。これはウソだからね。スパイクタンパクというトゲトゲの部分が実はイトミミズなんだよ。

極端なことを言うと、そういうことだ。でも、ｍＲＮＡの部分だけを抽出して打っている。みんなおかしいと思わない？　ファイザーにしろ何にしろ、みんなワクチンが違うんだよ。なんで違うの？　この白い部分が無数にあるから、ここだろう、あそこだろうという形で全部変えているわけだよ。でも、母体は白い部分です。これをつくったのがビル＆メリンダ・ゲイツ財団です。そこを「母型（ぼけい）」といいます!!　それに対するワクチンを世界中の企業が勝手に分析しているわけです。基本的にはすべてイトミミズ溶液です。

◉免疫機能まで破壊されてしまう「副反応」

ミミズの白い部分は無数に違う。これはわざとわかりやすく言っています。本当は白い部分の中での話なんだ。中には2本筋があるものがある。勝手に変異するから、いくらでも自由に変異できるんです。3本のものもつくれます。イギリスなんかは、組み合わせたワクチンのほうが効くと言い始めた。なぜかわかるよね。それだけ変異するフィールドが広くなるからです。続けていくと、最後は白いミミズだけの溶液ができ上がります。

変異するたびにワクチンも次々と変えましょうとなると、最後は免疫系が壊れて、全部イトミミズに変わってしまう。怖いのはこれなんだよ。人の免疫機能が破壊されてしまうんです。ワクチンには副反応があります。最近は「副作用」と言わないんだよ。これはえげつないよ。名前をちょっとソフトにしようしている。「副作用」と言うと「ウワー、怖い」となるけど、副反応は「んー、反応？」ぐらいで済みますから。言葉尻を変えたり、新しいネーミングなどあらゆることをやってくるんです。

それを打破するために、僕は『打つな！飲むな！死ぬゾ!!』という本を出したんです。

◉変異のたびにワクチンを打つ⁉　ビル・ゲイツのあくどい手口

今回の新型コロナウイルスは、ただのまき餌なんです。魚を釣るときに、エサを周囲にばらまいて、集まってくる魚をとっていく。

本題は「遺伝子組み換えワクチン」のほうです。これがイトミミズ溶液だと言っています。問題は、それが自然のものではないということです。みんな遺伝子組み換え大豆は買わないのに、遺伝子組み換えワクチンなら打つんだよ。おかしいでしょ。口から入るものは拒否するけど、イトミミズ溶液を体に入れることは拒否しない。なぜなら、テレビのオレオレ詐欺であおられているからです。特に高齢者には別の意味で死ぬぞ死ぬぞ詐欺です。有権者は高齢者が多いから、自民党支持者も多い。高齢者は「お役人や自民党の言うことなら信じます」という人が結構多いんです。

Ｗｉｎｄｏｗｓという OSは、もともと欠陥商品です。欠陥を補うたびに、ビル・ゲイツは莫大な利益を得てきた。コロナワクチンでも、これと全く同じことをやるわけです。まず、まき餌をまいて、感染力だけ強くして、マスゴミに騒がせる。それでビル・ゲイツ製のワクチンを、毎年毎年変えたものを打たせる。１回打った人も、また不安になってまた打つから、覚醒剤と一緒です。

◉インフルエンザ感染者数〝ゼロ〟ってあり得ますか？

まず、この新型コロナウイルスというのは普通じゃない。どう考えても、１２０％、人工ウイルスなんです。これはあらゆる学者が言っているんだが、日本のテレビは単なる陰謀論とバカにして一切言わない。

どんなウイルスでも、空気中に太陽光が当たると数時間で死滅するんです。ところが、衣服なんかにつくと急に死ななくなる。家庭の台所のシンクなんかの金属につくと、３日も４日も死なない。ステンレスにつくと数時間どころじゃないんだよ。段ボールについても３日、４日は死なない。口の中に入っても、胃に入っても死なない。溶けない。腸にまで入っていく。最後は大便になって出ていく。それで駅なんかのトイレで流すと、周囲に水分が飛んで壁一面につく。さらに換気扇を介してエアロゾル状態で吸い込むことになる。

これはエイリアンウイルスだ。こんなのが突然あらわれるわけない。つまり、人工的につくられたということです。しかもここが重要で無毒なんです。赤ちゃんも、幼稚園児も、若い人も死なないです。もっと言えば、お年寄りも死なないです。

これにはデータがあります。Ｐａｒｔ１でも言ったように、２０１９年に亡くなった65歳以上の高齢者の数よりも、コロナ真っ盛りの２０２０年の末までに死んだ65歳以上の高齢者の数のほうが減っているんです。なぜ減ったかわかりますか。肺炎球菌ワクチンを打っている高齢者は少ないから、普通なら死んでいるお年寄りが、ちょっと熱が出たらすぐ入院させられるから、肺炎が早期段階で治っちゃうんです。だからコロナ真っ盛りのときほど高齢者の死者数が激減しています。インフルエンザ感染者数〝ゼロ〟ってあり得ますか？

これはおかしいでしょう。でも、これを言うテレビ局はどこにもないです。もっと言うと、ＰＣＲ検査自体がとんでもないウソっぱちです。ＰＣＲ検査は、難しい言葉で「核酸増幅法」といいます。

◉大局を報じないテレビ局の詐欺

新型コロナウイルスは日本人がよく飲む緑茶で死にます。京都の宇治なんかの小学校や中学校では、インフルエンザがはやったときは緑茶でガラガラとうがいをするんです。だからインフルエンザにならない。カテキンで細菌もウイルスも死ぬんです。日本人がコロナであまり死なない理由の1つは、このためです。

それ以外に、昆布とかワカメなどに含まれているフコイダンには殺菌性がある。これを食べていると、バクテリアもはね返すし、ウイルスも当然はね返す。だから、日本人はコロナ感染者が1％台になるわけです。

そのことはテレビ局は絶対言わないし、医療関係者も口が裂けても言えないのは、日本はいまだに欧米の死者数の1％台しかいないからなんです。欧米では60万人死んだとかいいますが、その100分の1ぐらいしか日本人は死んでいない。

だけど、テレビでは海外と同系列で扱うんです。イギリスでこうなった、アメリカでこうなった、日本でもこうなる。でも、1％台です。もっと言うと、それでさえ実は減っているんです。

どういうことかというと、テレビは細かな部分だけをクローズアップして、大局を見せない。テレビ局が一致団結して、日本人にオレオレ詐欺をやっているわけです。やらないと自民党に放映権を取り上げられちゃうからです。

もっと言えば、アメリカ大使館に取り上げられるんです。この仕組みは簡単です。永田町にある巨大な自民党ビルは借地料ゼロです。小沢一郎のときの民主党のビルはカネを払っていましたけど、自民党はカネを払っていません。あの土地はアメリカからプレゼントされた土地なんです。

◉アメリカの傀儡（かいらい）政権自民党、トップは在日コリアン

これで自民党の正体がわかるよね。アメリカの傀儡政権なんだ。上のほうは、日本人はほとんどいません。岸信介、佐藤栄作も含めて、ほとんどが李氏朝鮮系だ。自民党のトップの連中の多くは在日コリアンです。アメリカはこの連中としか条約を結びません。

日本人の田中角栄はそれを知っているから、独自で日中外交をやっちゃったわけだ。フランスともやって、あらゆることで三元外交をやった。だから田中角栄は偉大なんだよ。それでアメリカは、ロッキード社のピーナッツ（裏金）を食わせて彼を潰したんだ。ヨーロッパの首相クラスは全員ピーナッツを食っていますよ。だけど、誰1人クビになっていません。クビになったのは田中角栄だけです。収監されたら、突然、最高裁判所のトップクラスが有罪と言っているんだよ。検察もそうだけどね。

田中角栄の懐刀の小沢一郎も、民主党が自民党をひっくり返した後、検察が陸山(りくざん)会事件という捏造(ねつぞう)事件を起こした。いまだに茨城のばあちゃんあたりは「小沢一郎は悪いやつだっぺ。紙袋の中に1億円も持ってたんだぞ」と言っている。紙袋に1億円入っていたら悪党なのか？　これはアメリカのイメージ戦略で、小沢のあの顔もちょっとマイナスだった。

要は、アメリカに逆らえば必ず潰されるんです。そうなるようにしたのがダグラス・マッカーサーです。WGIP（ウォー・ギルト・インフォメーション・プログラム）といって、とにかくアメリカに逆らうやつ、自民党に逆らうやつは全部叩き潰す。徹底的に逆らえば、今度は3・11みたいな大災害を起こす。考えてみてください。あの後ですよ、自民党と安倍が復帰したのは。

3・11のときは民主党政権で、首相は菅直人（かんなおと）だった。この菅も実は在日系とされています。社会党も共産党も、トップはほとんど在日系です。はっきり言うと、与党を選ぼうと野党を選ぼうと、全部トップは在日という仕掛けだ。そういう仕組みをつくったのもダグラス・マッカーサーなんです。やつは日本を救ったんじゃない。とんでもない悪党なんだ。アメリカ人から見たら英雄なんだろうが、実はアメリカ人からも嫌われていた。アイゼンハワーは愛されたけど、マッカーサーは、俺が、俺が、俺がと、あまりにも露骨過ぎたんだ。

◉オオコウモリの記念硬貨をなぜ発行していた？

要は、ウイルスの寿命から考えて、突然こんなのが出てくるわけないんです。何でもそうだけど、変異には時間がかかる。それがないのは、これが人工的だということだ。実は、このウイルスの中には川崎病もＨＩＶも入っている可能性がある。これを発表したら、インドでも台湾でも、その医学者はクビになります。ノーベル賞学者でさえ出入り禁止になってしまう。

こんな真似ができるのはアメリカ軍かＣＩＡしかないんです。ロシアでは構わない、中国でも構わない。ということは、西側陣営でこういうことを行う能力を持つのはＣＩＡしかない。中心はアメリカ本国ではなく、日本の東京にあるアメリカ大使館です。

ところが、アメリカ人は粗雑なんだよ。日本人は実に精密なものをつくるんだけど、アメリカ人がつくる製品は、本当に雑。例えば、前述したようにアメリカは毎年、クオーター（25セント銀貨）の記念硬貨を出しています。２０２０年のコロナ真っ盛りのときに、アメリカはコロナを媒介したオオコウモリのデザインの記念硬貨を出した。最低でも前年、前々年じゃないと、そういう企画は通らない。コロナ大騒動の前から、２０２０年にオオコウモリのデザインの記念コインを出すことは決定しているんです。アメリカ人はそれを平気で出す。きっと大ざっぱ過ぎてわからないんだろうな。正確にはサモアフルーツコウモリといって、アメリカ人も食べられるという意味でフルーツコウモリと言っているんです。中国の武漢で言っているのと同じだ。証拠残しまくりだけど全く平気なんだ。何でも押し切っちゃうんだよ、あの国は。

あのウイルスは死なないバイオ兵器、優しいバイオ兵器なんです。そのかわり、バイオ兵器で大慌てになった人たちが打つイトミミズ溶液（ワクチン）が、実は猛毒という仕掛けだ。この仕掛けのもとはビル・ゲイツのＯＳ。欠陥品をまず出して、次々と上乗せしていくというやり方なんだ。

「ダイヤモンド・プリンセス号」の件も、よく考えてみたらショーだったんだ。あの船はアメリカと大の仲よしのイギリス船籍です。横浜に停泊している間、あの大騒ぎを演出するのに持ってこいのクルーズ船だったんです。あの当時から何か変だった。確かにＰＣＲ検査は一部で検査で使っていたけれど、もっと多くの人に使えという世論が出てきたのは「ダイヤモンド・プリンセス号」からだったんです。

つまり、日本人からＰＣＲ検査を求める声が湧き上がっていったんだよ!!

◉老衰で死亡してもコロナにされてしまう！

いいですか、皆さん。口が裂けても「よろん」と言っちゃいけませんよ。「よろん」という言い方はＮＨＫが媒介してつくりましたけど、統治者の言うことを聞くことを「よろん」、統治者に逆らうことを「せろん」と言うんです。これは自民党がアメリカと一緒に言霊を飛ばしているんです。

あの事件で「もっとＰＣＲ検査をしろ」という空気になった。ＰＣＲで陰性だった人が、帰ってから陽性になっちゃったら、エー、何で？ もっと正確に何度もＰＣＲ

検査をやってよとなり、まさにあれは小泉劇場だったんだ。おまけに横浜、横須賀のあたりは小泉一家の拠点だよ。

アメリカ疾病予防管理センター（ＣＤＣ）が突然、それまで風邪だと思っていたけど実は新型コロナだったと言い始めた。陽性者60万人、１００万人……、一気に中国を追い抜いた。検査は全部ＰＣＲだ。でも、死体からどうやってわかるんだ。おかしいことだらけなんだよ。実はこれには仕掛けがあった。アメリカのデータによると、人工呼吸器をつけても、65歳以上の感染者の97％が死ぬ。これは老衰の証拠。マジで。

今回（２０２１年4月16日）のバイデンとガースの日米首脳会談でハンバーガーが出てきました。アメリカにとって日本はハンバーガークラス、この程度でいいという国なんだ。さすがにガース（菅首相）は頭にきたせいか食わなかったらしいけれども、その程度ということです。アメリカの本場のハンバーガーといえば、10段重ねで剣が刺してある。こういうジャンクフードを大量に食べている人間は免疫不全でインフルエンザや風邪でも死ぬんです。コロナであろうとインフルエンザであろうと何だろうと、日本でもアメリカでも肺炎になって、年間何十万人と死んでいますからお年寄りが死ぬのは当たり前なんです。

◉コロナで儲(もう)かる病院事情

老衰患者に人工呼吸器をつけても死ぬんです。特に、アメリカでは97％が呼吸器を使っても死にます。ＥＣＭＯ(エクモ)をつけても死亡率は変化しません。だけど使う。何で？ ＣＤＣが発表しているんですが、ＥＣＭＯを使うと病院に特典が入るんです。だから、死ぬ寸前とわかっているお年寄りにも呼吸器をつける。それでアメリカで呼吸器が足らなくなったんです。誰がこんな仕掛けをしているのか。ＣＩＡですよ。軍だけでこんなことできません。トランプを裏切ったのはＣＩＡなんです。

血栓ができるのは当たり前なんだ。巨大な洋ナシ型の肥満の人間は寝ているだけで体内に血栓ができます。飛行機のエコノミークラスに毎日乗ったようなもの。ジャンクフードを食べて運動しないから、足の裏側は血栓だらけだ。これが血管内を上がってきて、心臓に入ったら心筋梗塞、脳に入ったら脳梗塞。アメリカでも日本でも、コロナに関係なくこれで死んでいます。

これが肺に入ると、肺梗塞になる。「肺梗塞」という言葉は、恐らく今回初めてみんな知ったんじゃないか。肺炎球菌ワクチンは、そういうものも防いでくれるんです。もっと言うと、脳梗塞とか脳溢血を1回した人は、ちゃんと血栓を溶かす薬を毎日飲んでいます。最悪、肺炎球菌ワクチンとその薬を飲んでいたら肺炎で死なない。たったそれだけです。

クラスター？ 院内感染？ ＥＣＭＯで看護師が5人要る？ 7人要る？ 医療崩壊？ アホですか。しなくてもいいことを疲弊しながらやってるんだ。一番いい方法は、高齢者だけエックス線検査をするだけです。肺炎だったら白くなるから。従来の肺炎防止だから現行医療でできます。エックス線を受けるだけですよ。何で死ぬ寸前の人にワクチンを打つの？ おかしいでしょう。

日本の場合、80歳で死んでも全部コロナで死んだことになる。あれは老衰でしょう。それが全部コロナになっちゃうんだ。笑っちゃうんだけど、みんな真剣に悩んでワクチンに殺到するんです。ワクチンが既に届いている市では、あっという間に電話が殺到して、「無くなりました」と言っては煽るんだよ。保健所の職員もかわいそうだよ。医者なんか一番かわいそうだ。真っ先に打たされるんだもん。あれは医者を全部殺すためです。

◉「地球温暖化」詐欺を仕掛けたＣＩＡ

２０３０年問題を知っていますか。２０３０年になったら、地球温暖化は暴走して二度と戻らなくなると言われています。ウソこけ。僕が小学校４年生のときに買った科学誌に、グリーンランドの氷の半分が溶けていて、北極海の氷も溶けて、そのうちにニューヨークが水浸しになると警告されていた。その後、小氷期に入ってもとに戻ることになった。この繰り返しなのに、エコビジネスで儲けている連中が世界中にいるんだよ。植物は温暖化を救ってる？　ウソこけ。植物は温暖化してほしいんだよ。

だから熱帯や亜熱帯にジャングルができる。ウソばっかりなんだ。

そのウソを仕掛けているのは国であり、企業であり、組織であり、CIAなんだ。京都議定書もそうだけど、日本はバカだから、どんどんワナにひっかかるんです。正確に言えば、バカだからひっかかるんじゃない。在日コリアンが支配する政府はアメリカの傀儡（かいらい）で、アメリカから監視を任されているから、アメリカに従っているだけなんだ。日本の技術者は世界でトップレベルなのに政治がダメなのは、別の民族が支配しているからだ。この仕掛けをダグラス・マッカーサーがつくり、いまだにマッカーサーは日本を救った英雄として扱われている。この仕掛けがわからないと、この先さらに泥沼化していきます。もう本当に大変な事態になりますよ。

◉ノーベル賞の教授「新型コロナは人工ウイルス、エイズ入りだ！」

さっき言ったミミズの一握りの白い部分は、どんどん変異するように仕組まれている。2本だったらそれぞれ補い合うから定するけど、1本の場合は容易に変異するんです。インフルエンザでも、香港A型とか何とか、次々と変異するでしょう。新型コロナウイルスはインフルエンザの15倍の長さがあるから、その白い部分、mRNAの部分も単純に考えて15倍ある。15倍で変わるから、2カ月で次々変異するわけだ。

でも、変異するけど無毒なんです。インド型はイギリス型が二重にねじれているとか言いますが、ウソつけ。RNAは1本なんだよ。あおって、あおって、世界中の人間に遺伝子溶液を打たせ、皮肉を込めれば、オリンピックのために森喜朗へ早くおカネを納めなければいけないから、少しでも早くワクチン打ってとなっているんです。森喜朗にカネを渡さないと、次々と申し送りで自民党が院政でカネをもらえなくなるからね。そこに緑のタヌキも加わるわけだ。これに早いとこ気づけ、テレビで言えよと思うんだけど、言わない。言えないんだよ。言うような人間は企画会議ではじかれちゃう。だから飛鳥昭雄は絶対に呼ばれない（笑）。

新型コロナウイルスの中にはエイズの遺伝子が組み込まれています。それを見つけたのがノーベル生理学・医学賞を獲得したフランス人の教授、リュック・モンタニエです。彼は、新型コロナウイルスが人工ウイルスだということを証言した直後、突然、パスツール研究所への出入りが禁止になった。これはおかしいでしょう。僕なんか、YouTubeでビル・ゲイツのワクチンは打つなと言うだけで、即、停止になった。ムチャクチャですよ。

◉人工ウイルスである証拠を告発しようとして殺される

アメリカのピッツバーグ大学の医学部に劉兵（リウビン）という助教授がいます。彼の専門はコンピューターシステム生物学で、ビル・ゲイツのコンピューターにものすごく近い生物学者です。いいですか。これはすごく重要なことなんですよ。その彼がCOVID－19の中にとてつもないものを発見する。細胞メカニズムの中に、120％証明できる人工的なものを発見したんです。彼はそれをCNNで発表する寸前に暗殺されました。暗殺したのは中国系の郭浩（グハオ）という男で、1・6キロ離れた車の中で死んでいたんです。

あの志村けんが死んだことによる影響は大きかったけど、実は、志村けんは満身創痍だった可能性が高い。肺はボロボロ、大腸もボロボロ。体は痩せていても、体型的にはほとんどアメリカの洋ナシ型だったから、ちょっとしたインフルエンザとか風邪でも簡単に死んだんだよ。最後は女の子たちのところで倒れたんだから本望かもしれないけど。だけど、志村けん死亡の影響力は大きかったな。

僕は逆に、志村けんは狙われたと思っている。あのときは女優も1人死んでいる。有名なコメディアンと女優の岡江久美子の2人が死んだ。何で死んだかは、はっきりわからない。コロナならみんなおかしいと思わない。家族は遺体と会えなかったし、検査もされずに、すぐ焼かれてしまった。ある意味これは証拠隠滅だ。しかし、今ではなぜか家族のもとへ帰されることはオーケーなんだよ。あのときはわからなかったとか、そんな問題じゃないだろう。死体からウイルスは出ませんからね。そんなの当たり前でしょう、呼吸してないんだから。ムチャクチャに怪しい。

◉9・11のビン・ラディンはいまだに生きている！

同じようなことは「アルカイーダ」の指導者ビン・ラディンにもある。ビン・ラディンを強襲した様子がテレビで放映されていたけど、あれは実におかしいんだよ。だって、ビン・ラディンとブッシュ・ジュニアは大の友達だから。9・11のときにブッシュ・ジュニアが最初にやったことは、ビン・ラディンの家族を最上級の扱いでアメリカから特別機で逃がすことだった。その後、ビン・ラディンを急襲して、その死体を空母で運ぶ途中に水葬という名目で海に捨てるんだ。これは証拠隠滅でビン・ラディンは今も死んでいませんよ。

プロ中のプロでも旅客機を5階建てのペンタゴンに衝突させるのは不可能なんです。あの犯人のうちのほとんどは、いまも生きています。事実、サウジアラビアで「自分は生きている」と発言しています。でも、絶対にアメリカのマスゴミはとり上げてくれないらしい。犯人たちはサウジアラビアでいまだに家族と住んでいて、アメリカにも行っていないと言っていますから。

あれは、ペンタゴンがアメリカの金塊、「ブラックバジェット」と呼ばれる闇のカネを使い尽くしちゃったことが原因です。翌日、議会から査察が入る寸前に、その証拠書類がある場所を目がけて巡航ミサイルが撃ち込まれたんです。アメリカはこういうことを平気でやる国なんです。ある意味、アメリカ本土のＣＩＡと同レベルのＣＩＡが日本のアメリカ大使館だ。スノーデンがちゃんと証言で言ってくれている。「ＮＳＡの基本的な本部は横田にあって、アメリカ大使館はＣＩＡの組織で、そこへ５人がＮＳＡから出向している」と。それなのに日本人は全く信じない。ボーッと毎日生きている。ほとんどゆでガエル状態だ。

「そんなこと言っても、アメリカには情報公開法というのがあって、そんなのは全部バレますよ」と言うバカが結構多い。

だけど、これにはトリックがある。例えば、ビル・ゲイツがビル＆メリンダ・ゲイツ財団でＣＯＶＩＤ－19という人工ウイルスのゲノムでつくったとしても、あれは民間企業です。アメリカの情報公開法（ＦＯＩＡ）には、民間企業は公開しなくてもいいと書いてある。

◉日本の町工場はアメリカ軍産複合体の下請け企業

アメリカは、保育園からビス１本つくる町工場まで、全部が軍産複合体で、アメリカ全体が軍事企業体なんだ。でも、中国は、それを超えるのが日本だと言う。日本の町工場はアメリカを超える技術があるからだ。アメリカの軍事兵器は日本の町工場がつくるレンズや精密部品がないと動かないのも事実。いまだに原子力発電所の圧力容器は日本製でないと稼働できない。新幹線の先頭車の先端カーブだって中小企業の手作業だ。あれができないから中国の新幹線はダメだという。すぐ曲がってくるし、よそで走らすと、風圧で右と左で圧力が変わるから脱線しちゃうんです。ある意味、中国は「日本はすげえ」と発言しているわけだけど、アメリカはその日本を支配しているわけです。もっと言うと、日本の町工場はアメリカの軍産複合体の下請企業となり、そういう中でのコロナ騒動なんだよ。

◉クライシスアクターの重病の演技がニュース映像に

イギリスの情報は絶対信じるな。アメリカとイギリスは、お互い裏でつるんでいますから。日本のテレビを見てみたらスグにわかる。出てくる海外ニュースは、ほとんどがイギリスとアメリカだ。フランスはあまり出てこない。ＥＵ各国もあまり出てこない。

そのイギリスのコロナ関連ニュースで、30代の若い女性が出ていた。テロップを見たら、「タラ・ジェーン・ラングストン　ロンドン在中」と書いてある。基礎疾患はないのに重症化したという。ＩＣＵ（集中治療室）からスマホで自撮りしながら、「私を見て。コロナを軽く見ちゃダメ。もうＩＣＵに入って10日以上、何十日たったかもわからない」と言っている。電池の充電はどうやってたんだ？　それでゴホゴホと激しくせき込んでいる。その映像がイギリスを経由して世界中に流れたわけだ。

彼女の両腕にはチューブがいっぱいついている。カテーテルが痛々しい。鼻には人工呼吸器。しかも、よく見ると首に金属製の十字架をかけている。これでMRI（磁気共鳴画像診断装置）に入ったらえらいことになったはずだ。MRIはものすごい磁力で回転する装置で、十字架のネックレスはMRIをどうやって通過したのか？

実はこれ、クライシスアクターという俳優なんです。ロンドン在住といっても一般人はそれ以上調べられない。東京都在住のMさんといっても、誰か調べられますか。ウソばっかりなんだよ。イギリスとアメリカは、コロナでは大ウソつきなんだ。

◉ロシアに原子爆弾の情報を流した学者がいる

マンハッタン計画も、イギリスの原子力学者が協力していなければ原爆は完成できなかった。実はチャーチルが原爆をつくらせたとも言えます。マンハッタン計画には裏取引があって、アメリカとイギリスだけで世界を原子爆弾で制覇しようという密約があった。もう少しで2国で世界政府をつくれて、世界中がアメリカとイギリスに支配される寸前だったんです。

しかし、そうはならなかった。ロシアに原子爆弾の情報を流した人物がいたんです。マンハッタン計画の中心人物で、皆から「悪魔」とまで罵（ののし）られた天才物理学者のオッペンハイマーです。

あまりにも影響力が大きいのでＦＢＩが徹底的に調べるのですけれども、逮捕するとなると大変なことになります。ですから、とりあえずは無罪になりましたけれども、あらゆる方法を使って旧ソビエトに原子爆弾の製造方法を伝えたローゼンバーグ夫妻やクラウス・フックスらがスパイとして逮捕された結果、アメリカとイギリスの世界的陰謀はとりあえず一度は抑えられました。

もし彼らが情報を渡していなかったら、とっくに世界政府はでき上がっていた。今現在の世界があるのは、この英断があったからです。そうでなければ、今はみんな自由がなくなって、アメリカとイギリスに完全支配され、イギリス王室が世界の王の象徴として君臨しているだろう。

はっきり言って、イギリス王室はゲルマンです。あれはドイツ系です。アングロサクソンと戦ったのがイギリスの先住民で、アングロサクソンを追い出していますから、基本的にイギリスにアングロサクソンはいません。イギリスがアングロサクソンなんて、ウソばっかりでエリザベス女王の血の中にはムハンマドの血まで入っている。それはＤＮＡでわかっており、世界の歴史は都合のいいウソでできている。

◉ＰＣＲ法開発者マリス「これを検査に使うな！」

僕に言わせると、今度の都議会選でもし緑のタヌキの都民ファーストが勝ったら、東京都民は死ぬ覚悟をしたと思いますが、同様に自民党が勝っても五輪開催となり同じ結果となります。

ＰＣＲ検査法はポリメラーゼ連鎖反応です。ＰＣＲを発見したのはキャリー・マリスという教授で、１９９３年にノーベル化学賞を獲得しています。彼は遺伝子のわずかな断片を増殖させる方法を考えつきました。それだけなんです。ここは大事なところです。彼自身、それを検査法に使うのは絶対にダメだとまで言っています。

彼は死ぬ寸前の94年に、「私の発見が間違った道に利用されることに重大な懸念を抱いている。ＰＣＲ検査は世界から消し去らねばならない。患者救済の道とは虚言で、世界中の患者を不幸のどん底に落とす役割に悪用されてしまった。私の子どものＰＣＲが怪物と化した今、誰かがＰＣＲを滅ぼしても構わない。ＰＣＲは診断と治療には絶対に用いないでくれ!!」と言い残しています。

なぜなのか。前にもちょっと言ったことがあるんですが、チンパンジーと人間の遺伝子は96％一致しています。ＰＣＲ検査は、チンパンジーのＤＮＡの断片を見つけて人間だと言っているのと同じです。牛の遺伝子と人間の遺伝子は80％同じです。牛の遺伝子の一部を培養してふやすと、「これは人間のＤＮＡです」と言うこともできるんです。バナナの遺伝子と人間の遺伝子は60％一緒です。バナナの破片をＰＣＲにかけると人間の遺伝子と出てきます。こんなものに悪用されるのは、とんでもないことです。

◉感染者数の分母も発表せよ

そういうことを、今、世界中がやっているんです。そりゃ雑な結果、つまり権力側や治政者にとって都合がいいデータにすることも可能になる。確率は1・数%と言われている。風邪ひきだけでも陽性になります。花粉症だけでも陽性になります。徹夜徹夜でホルモンバランスが崩れていても陽性になります。何でもかんでも陽性になるんです。

ニュースで、感染者数が過去最高の数百何十人とか言っています。だけど、どれだけPCR検査をしたかの分母がないんです。あれが1万人分の800人だったらどう？　あれはマスゴミのトリックで、実に不正確なんです。どれだけ検査したうちの何％かを一切言いませんから。仕掛け的にはＰＣＲ検査をやればやるほど感染者数が上がります。そんなトリックがあることを、ぜひ知っていただきたい。

◉「コロナ死」と診断すれば、１４０万円病院に支給！

ＣＤＣは、今まではすごく信用度が高かった。ＣＤＣの言うことは、アメリカのみならず、世界的に信用度は高いものがあったんです。ところが、このＣＤＣが全米の医療機関に出した通達が出てきました。そこにはこう書いてあるんです。

「ＰＣＲ検査で陽性反応が出た者の死亡は、いかなる場合でも（交通事故でも老衰でも）『コロナ死』と死亡診断書に記入すれば、その報告者が出るたびに１人につき１４０万円が病院に支給される」

わかりますか。洋ナシ体型で糖尿病で死んでも、コロナ死にするだけで１４０万円が病院に支払われます。たとえ死ぬ寸前であれ、人工呼吸器を患者に使うだけで４０

0万円が支給されます。何これ。要は何でもいいから、死んだらコロナにカウントするための指示書なんです。

アメリカだけじゃないんですよ。厚労省がどんな通達を出したか。2020年6月18日付、厚労省新型コロナウイルス感染症対策推進本部から全国都道府県の衛生担当者宛通知書の内容はこうです。「PCR検査で陽性反応が出た患者が亡くなった場合は、厳密な死因を問わず、新型コロナの死亡者としてすべてカウントするように命じる」。何これ。日本政府もムチャクチャですよ。

◉インフルエンザで死んでも、死因はコロナにされてしまう

もともとPCR検査というのは何でも陽性にしちゃいますが、いい加減なので。陽性なのに陰性にしちゃうこともある。その証拠に、これは後にわかるんだけど、アメリカの死者数は60万とか100万とかすごいよね。そのうちの13万件が2020年度

の途中でインフルエンザによる死亡だと判明したんです。日本のインフルエンザの死亡者数は、今、ゼロですよ。感染者ゼロ。そういうのもテレビが言うと視聴者は納得しちゃうんだよ。「インフルエンザがゼロ？ カウント間違っとるやろう」と、普通は思うよね。でも、テレビのコメンテーターとかキャスターが、大変ですね、大変ですねと言って、次々とテロップが出てきて、イギリスの映像が出てきて大変だとなっちゃうと、「んだべ、んたべ」と納得しちゃうわけ。僕は茨城県に住んでいますから、その辺の人たちの言葉を介して言っておりますが、別に茨城県民をバカにしているわけではございません（笑）。

許していいのか、こんなこと。何でもかんでもコロナにカウントしている。PCR検査をした分母の数を絶対に言わない。10万件やったうちの800人かもしれないのに、それも言わない。これは犯罪ですよ。日本の全テレビ局は犯罪に手を貸すマフィアです。自民党はマフィアのボスだ。その自民党を自由に扱っているアメリカはビッグボスだ。

2020年11月12日、アメリカの電気自動車メーカー、テスラのイーロン・マスク

CEOが新型コロナウイルス感染症のPCR検査で陽性になった。だけど、彼は知識があるから、ほかのところでも受けて、3回のうち2回が陰性になりました。彼は「相当いいかげんなことが全米で行われている」と、暴露します。でも、そのニュースは日本では流れません。

わかっている範囲で言うと、志村けんはもともと1日3箱のタバコを吸う、いわゆるチェーンスモーカーだった。肺を悪くしてからは、チェーンスモーカーからヘビースモーカーに変わるけどね。肺気腫（はいきしゅ）を患（わずら）っていたことは、はっきりわかっている。酒の飲み過ぎで、２０１８年に肝硬変を患っています。２０２０年には胃の切除手術までやって、これはがんだと言われている。要は、健康な志村けんがコロナに感染して命を失ったんじゃないんです。たしか死ぬ直前には大腸まで手術したとか言われています。でも、あまり触れるとプライバシー侵害になっちゃうからね。医者のほうも、患者に関しては、カルテもそうだけど守秘義務があって詳しくは言えない。でも、わかっている範囲で言うと、これだけのことがあるわけだ。

いやあ、ひどいね。こんなことが全世界、全米、日本中で、まるで判を押したような無気味さで広がっている。

◉同調圧力、連帯責任、忖度「ワクチン打て」「マスクせよ」

日本の場合は逆もあって、忖度で従わせるんだよ。自民党政府は、上から命令しないで忖度させているんだ。だから書類には出ない。日本人は民間企業も含めて、政府の意向を察知して、かわりにどんどんやってくれる。

例えば、「オオカミ少年症候群」と俺が勝手に名づけているんだけど、テレビでちょっとあおるだけで、地域主義が出てくる。「おらの村はまだ感染者ゼロだ。おまえが東京から帰ってきてもし誰かが感染したら、おらの家がなんて言われると思うんだ。帰ってくるな」となるんだよ。それが日本中で一斉に起きる。それでも何かの事情で帰ってきたら、貼り紙をされる。「外へ出るな。おまえがいることはわかっている。警察に訴えるぞ!!」と。今はすごいんだよ。

東京都内も自警団があらわれた。民間自警団が、何の権限もないのに、マスクをしていない人がいると、訴えるぞ、警察へ連れていくぞと言うわけだ。お店がそれなりに対策していても、自警団から見てダメだったら、「今度、警察に訴える」という貼り紙が貼られる。

戦時中は「向こう三軒両隣」というのがあったんです。隣組といって、5軒ずつ監視させ合うシステムで、5軒のうち1家族でも非国民が出たら、5軒全部が連帯責任をとらされる。特高警察がやってきて、よそと違うことを言った人間をしょっぴいていく。今やったら法律的に大変なことになるんだけど、今は忖度という方法がある。日本人は、この忖度が好きなんだよ。

社長が「俺の会社でコロナのクラスターが起こったら大変なことになるから、全員ワクチンを打て。社長命令だ!!」と言う。これは法律違反です。やっちゃいけない。工場長が「全員ワクチンを打て。感染者が出て工場が止まったら俺の責任になるんだ。打たないやつは来るな。いくらでも人なんかいるんだ!!」と言う。家族になると、ドアを閉め切って、奥さんに「おまえは部屋に入ってくるな。ごはんだけ下から出せ。

部屋に入りたかったらワクチンを打ってこい。俺は打った。おまえは何もしていない。おまえが打たなかったら、俺はこの部屋に立てこもる!!」と言う。冗談抜きにして、そこまでになってしまう。

それが日本ではどんどん加速していくんだよ。マスクは1枚ではダメだ、2枚だ、3枚だ、4枚だ……。親は幼稚園児にマスクをさせます。子どもはコロナで死なせんか。なぜさせるかというと親が道行く人から怒られるんだ。子どもにマスクをさせていないと言って指をさされる。母親としてそれは恥ずかしいから、子どもにマスクをさせる。2枚、3枚、4枚……。子どもは酸素不足に陥り倒れ、脳に障害が残ることになるんです。

もうこうなったら日本中が止まらない。加速度がどんどん上がる。それでも命令する書類は一切出てこない。一般の日本人の方が勝手にやるんです。だから自民党には責任はありません。「あなた方が自己責任でやっていることですから、自民党には一切責任はない」となっちゃいます。これが日本式同調圧力といいます。

保育所に子どもを預けるときも、両親がワクチンを打ったという証明書を出しなさいと言われます。「ご両親がワクチンを打っていなかったら、この子は預かれません。私が感染して別の子にうつしたらどうするんですか?」という論法です。これはすごいですよ。これがすさまじいんだ。

そのうちに、飛行機に乗る場合にもワクチンパスポートを求められるようになります。EUとかイスラエルはそうなっている。例えば、「飛鳥昭雄と行くイスラエルツアー」なんてあったら、俺は絶対打ちません。そして、そのツアーを潰します。それぐらいの気持ちでないと合法的大量虐殺から逃れることはできません。

◉ワクチンパスポートが推進されていく

例えば、日本だけがワクチンパスポートに慎重でもイギリスがワクチンパスポート賛成と言い始めている。EUも同様の動きがある中、トランプはもとから、あれは風邪だと言っていた。その意味でトランプは正しかった。それをみんなでトランプをボコボコにして、アホなバイデンを選んじゃったわけだろう。あのバイデンが、どんどんワクチンパスポートを推進するから日本は大変だよ。

最近、緑のタヌキがいくら言っても、若い人たちは言うことを聞かないし、渋谷とかにどんどん行っている。「俺たち、かかっても死なねえもん」って。それでいいんだよ。僕はそれ大賛成。彼らは本能的にわかっている。じいさん、ばあさんは人生残り少ないから、ワクチンを打つメリットはあるし、一か八かの賭けをやってもいい。だけど、若者にそれをさせるのはかわいそうだろう。だって、あれは人体実験だから。普通、ワクチンの開発は5年、10年はかかる。

日赤の献血は、コロナワクチンを打った人は、接種後48時間はブロックですから。知ってました？ 受け付けないんだよ、危険だから。

◉2030年までに、地球人口を5億人に減らしたいビル・ゲイツ!!

一番気の毒なのは介護施設の看護師さんたちだ。ほとんど強制接種ですよ。お医者さんなんかは、実は賢い人は打たない。テレビには打っているところがバンバン出るけど、半数ぐらいの医者は打っていないんです。そこは絶対にテレビは出しませんから。テレビでは「何ともないですね。でも、2回目はちょっときつかったかな」とか言っています。「きつかったかな」ということは、体が拒否しているということです。「1日寝れば治りました」と言いますが、これは実験材料なんだよ。最後は犬死だ。特攻隊と一緒ですよ。

医者たちは、患者にうつさないようにしようとする。それをビル・ゲイツが悪用している。自分たち超富裕層が必要な医師だけを残し他をすべて殺しちゃうんだ。2030年までに人口を5億まで減らせば、ロスチャイルドとかロックフェラー、いわゆるイルミナティの連中だけは生き残れるというわけ。

ほとんどの仕事はＡＩがしてくれるし、必要なものは全部コンピューターがやってくれる。コンピューター中心のＡＩの世界では、人間が多勢働かなくてもいい。仕事が生まれるよりも、仕事をしなくても済む世界は、ある意味、理想郷です。

だけど、裏返せば、人類はほとんどが要らないということです。要らない人間がいるから、２０３０年に大変なことになる。だったら余剰生産物は殺しちまえということで、その先鋒(せんぽう)がビル・ゲイツなんだ。そのときに医者がたくさんいたら困るんだよ。軍隊も攻撃してくるから、いたら困る。だから全部一緒に殺してしまえ。ホロコーストが本当に始まったんです。

◉ワクチン製薬会社、副作用で死んでも免責！

日本の若者たちは、我慢しなさい、我慢しなさいと言われ続けています。カネがないから食えない、食えないから食ったふりをする。これが「貧乏マッチョ」だそうです。一口キャッチといえば緑のタヌキで、新しい言葉が次々出てくるんです。そんなコロナ禍でエンゲル係数だけはメチャクチャ高くなっているそうです。収入が安定していれば、食料にあくせくせずに生活するから、エンゲル係数は低くなります。逆に、生活が苦しくなると、不安が増して、支出のほとんどが食料費に回って、エンゲル係数が上がってくる。上がるというと何か景気がよさそうですが、違うんだよ。今はとんでもないことになっているんです。

ファイザーのCEOは自社株を売りましたよね。もう少しで多勢が死ぬので、株が大暴落する前に売っちゃったんです。最近、彼が何て言ったか知っていますか。「毎年打ってください。1回打つだけじゃダメです。インフルエンザウイルスのワクチンをごらんなさい。毎年打っているでしょう。コロナは毎年変異しますから、そのたびに変異したワクチンを打ちましょう」と発言しました。要はワクチンは効かないんです！　しかし、遺伝子組み換え溶液は次々と打って、それで死んでくださいと言うわけです。だけど、その責任はアメリカ政府や各国によって免除されています。世界中のワクチンをつくっている製薬メーカーは、たとえ死人が山ほど出ても無罪。免罪符です。いいですか。企業に免罪符を与えたら、その企業は何をするかわかりませんよ。

アメリカは刑務所を民営化しました。結果、何が起こったかというと、警察と手を組んで犯罪者をたくさんつくってもらうんです。何でもかんでもしょっぴいて刑務所に入れる。1年ぐらいで出して、また捕まえる。犯罪の大循環です。その資源として黒人がブラックオイルとして使われています。今度、アメリカは警察も民営化しますから。アルゴリズムといって、「あなたの友達の友達が罪を犯したら、あなたも逮捕できます」というシステムになります。事実、アメリカはすでにこれをやっていますから。日本の警察は2年後ぐらい先を目処(めど)にこのシステムを採用します。自民党を選び続ける結果、日本はこうなるんですよ。ウソじゃない。ムチャクチャなことを自民党はアメリカの命令通りにやろうとしているんです。

その前に余分な人間をスピードで殺すということで、だから「ワープスピードワクチン」と呼ばれます。あっという間に殺してくれるワクチン。それをみんな喜んで我先に打ってくれる。日本人は合法的殺戮(さつりく)ワクチンに殺到する。足らなくなると、みずから進んで殺到する。

人間の免疫細胞はB細胞と呼ばれます。ここにイトミミズがどんどん入ってきて、遺伝子を組み換えちゃうんです。2回打つと、さらに組み換えます。それだけで体の中のB細胞の何分の1かはビル・ゲイツ製の遺伝子に組み換わるんです。しかも、血液に打ち込むのではなく、筋肉に打ち込む筋肉注射です。だから針が長い。そのほうがより体内に広がるんです。血管に打つとスグに血液と一緒に腎臓に流れ尿となって出てしまう。

◉飲むワクチンで粘膜が溶ける⁉

いよいよイギリスが飲むワクチンを開発しましたよ。カプセルに入っていて、中身はビル・ゲイツ製の遺伝子組み換えワクチンの粉末です。これで痛い思いをしなくて済みます。ファイザーも飲むワクチンを開発しました。「マイナス70度はもう必要ありません。常温で運べて簡単に飲めます。女性も子どもも自由に飲めます。アストラゼネカとファイザーを混合して毎年飲みましょう」と言っています。

飲むワクチンは、目や口の粘膜の遺伝子細胞に直接作用します。最終的には粘膜が溶けるんです。えらいことですよ。バイデンは12歳から接種させるつもりです。ビル・ゲイツは幼稚園児から接種しようとしている。要は、根こそぎ殺す気でいるんだ。こんなやつがアメリカにはゴロゴロいるんです。

繰り返しますが、この男を育てたのは日本なんです。欠陥商品のＷｉｎｄｏｗｓよりも前に、日本は東大とＴＲＯＮというほぼ完璧（かんぺき）なＯＳをつくった。その当時の通産省、文部省がバックアップして、パナソニック（当時の松下電器）など日本の電機メーカーもそれを取り込んで世界に売り込もうとした。

圧倒的な技術差がある場合、アメリカはスーパー３０１条で拒否するんです。これでアメリカに売れなくなる。白物家電もウォークマンも対象になっている。それで家電業界が全部手を引いた。そこに間髪入れず出てきたのが欠陥商品のＷｉｎｄｏｗｓです。ある意味、日本がもっとちゃんとやっていれば今のようなことにはならなかった。もう遅いけどね。上にいる連中が全部アメリカの言いなりだから。ビル・ゲイツをつくり上げたのは、日本です。

◉人工ウイルスの新型コロナは、無毒で感染力だけが強い

世界人口を5億に減らすには、みんなを油断させて、みずから率先してワクチンを打って助かろうとする土台が必要です。そのためには、無毒で感染力だけ強いウイルスがあればいい。このウイルスでは本当は誰も死なないんです。赤ちゃんも死なないし、お年寄りも死なない。お年寄りは、もともと風邪とかインフルエンザ、そして誤嚥とかでたくさん死んでいます。アメリカ人だって、あの洋ナシ体型のせいで様々な基礎疾患を患って死んでいるんです。大体ハンバーガーを10個ぐらい串刺しにして食ってるんだから、まともに生きられるわけがない。あと、肉を一切食べないベジタリアンも結構な比率でがんで死にます。やっぱり適度に肉も食べないといけない。

そういう中で、日本はオリンピックへの協力体制で皆にワクチンを打たせて、森喜朗に莫大なカネを献上しようとしている。そのために女性も子どもも皆ワクチンという運動が政府主導で起きている。

◉電気自動車は絵に描いた餅（もち）

2030年問題はバカにできないんだよ、本気だから。「炭素社会から、さようなら」とか、エコ社会とか、電気自動車とか、きれいごとをいっぱい並べています。その先鋒にいるのがじつは小泉進次郎なんだよ。こいつが自民党が追いつめられたときに顔を出して総理大臣になっていく。「セクシー」と言いながらかな？　そのときの官房長官が次期総理の小池百合子になるかもしれない。小泉純一郎がそのバックアップで動いているふしがあるからだ。

東京のアメリカ大使館では全部ストーリーができている。日本の有権者は、ここまでバカにされているんだ。ぼーっと生きているから自分でコロナワクチンを打ちに行くわけだよ。

よく「エコビジネス」と言うけど、電気自動車の電気は、自然破壊しながらの水力とか、原子力、火力でできています。何もエコなことはないんです。むしろ危ない。リチウムなんて衝撃だけで爆発するんだよ。電気自動車で衝突したら助からないからね。リチウムの爆発力はすさまじいんです。急速充電？　1時間ぐらいかかるわ。その間、ずっと行列するの？　ムチャクチャだから。早く気づけよな。リチウム電池をそのままスタンドで入れ替える？　どこにそんな巨大なキャパがあるのか？

トヨタも電気自動車なんてあり得ないと言っていました。トヨタは電気自動車の開発もするが、これからもずっとハイブリッド中心だそうです。僕も買いました。電気自動車なんか、本当は絵に描いた餅なんです。みんな電気、電気と、いかにもエコだと言っているけど、あれはきれい事のウソですから。その辺はまだトヨタは健全だと思っている。

◉肺炎を調べるのには、エックス線検査で済む

医療崩壊、医療崩壊って、大阪もそうですけど、京都も言い始めている。

普通に病院に通っている人たちは大変だよ。がんの手術もそう。リハビリ患者もそう。みんな病院に行けないんだもの。それで手遅れにして殺されていくわけ？　だけどビル・ゲイツはみずからを救世主だと思っている。高齢者が肺炎かどうかを調べるにはエックス線だけで済むんだよ。あとは肺炎球菌ワクチンを打つだけで全然問題ない。それだけのことなのに、何？　このコロナの大騒ぎ。

iPS細胞の山中教授は、日本人にはもともとファクターXがあるから大丈夫だと言っている。京都大学はどっちかというと、多くはワクチン不要の意見だ。東大は違うよ。テレビに出ているのは大体が東大系で、危険だ危険だとワーワー騒いでいます。京大系は冷めている。テレビは京大系を使わないんだよ。邪馬台国（やまたいこく）論争でも東大と京

大、昔の脚気（かっけ）のときも東大と京大、超能力も東大と京大だよ。何これ。大体西が正しいからね。

◉電波で人間をコントロール⁉　もう都市伝説ではない！

まだ証拠がないけれど、一応警告されていることが1つあります。スマホは今、4Gから5Gへ変わろうとしている。Gはジェネレーションのです。4世代目のときにはミツバチがいなくなった。5Gのときは鳥がバタバタ死んだ。最近になると牛が死に始めた。シンプルな脳であるほどダメージが大きくなるようです。外国でも5Gテストが始まると鳥が変な死に方をしています。極端なことに、牛までが群で死んでいる。これは何なのか。

前から言われていたんだけど、スマホで3分以上しゃべっていると頭の中が電子レンジになっちゃう。それは事実なんだ。電磁波だから。昆虫がまずダメージを受ける。

帰巣本能がなくなってハチや鳥が戻れなくなる。5Gになると、スマホを離してしゃべらないと脳がやられる。これで世界中が5Gになったら、えらいことになる。

今、東京都内で5Gが立っているところは4カ所とか5カ所ぐらいで、ピンポイントしかない。欧米なんかは街ごと禁止しているところも結構出てきている。5Gになったら映画のダウンロードが数秒でできるとか言うが、そんなのどうでもいい。6Gまでやろう、7Gまでやろう……と切りがない。

最後、全人類は死ぬよ。1990年代、まだスマホじゃなくて携帯電話の鉄塔が立っているときに、こういう話は既にアメリカでは出ていた。まだガラケーの時代に、電波で人間をコントロールすることは随分言われていた。その当時はみんな都市伝説ということで半分バカにしていたんだが、だんだんバカにできなくなってきた。

◉目、口、舌が溶けて人類の3分の2が死滅する⁉

これはまだ実証されていないが、1つ警告という形で出てきたことがある。コロナワクチンをずっと打っていく段階で5Gの電波を受けると、遺伝子にスイッチが入って免疫機能が突然ゼロになる。リセットされるというんだ。そうすると、あらゆる人間は瞬時に体が維持できなくなり溶けてしまう。空気中に無数にいる球菌、ウイルス、特にバクテリアが一斉に襲ってくるという。人食いバクテリアって聞いたことある？

既に日本でも毎年400人ぐらい死んでいますが、約4分で体が溶けるんです。扁桃腺（へんとうせん）が腫（は）れるのも球菌が起こしていますが、扁桃腺は粘膜です。目、口、舌、あらゆるところの粘膜が、5Gを受けると遺伝子組み換えされた免疫機能にスイッチが入るかもしれないと警告する研究者が出始めた。

これはえらいことだ。しかも、溶けるのを感じながら死んでいく。どういうことかというと、筋肉は細胞分裂するから細胞が入れかわる。放射線を受けて細胞分裂がストップすると、細胞が入れかわらないから溶けていく。ところが、脳細胞と神経は細胞分裂しないから、最後に脳が維持されなくなるまで、体が溶けるのをずっと感じたまま死んでいくという。聖書にも、目、口、舌が溶けて、人類の3分の2が死滅すると書いてあります。

岡本天明の日月神示にも、日本人の3分の2が死ぬと書いてある。ということは、ワクチンを接種した女性や子どもを含む八千数百万人が命を失うことになる。3分の1の打たない人は、飛鳥情報とかヒカルランドの本を読んでいる人たちとなる。そんな中で悪党どもは、みんなビタミン剤を打ってごまかしています。

2030年に何が起こるか知っていますか。まだほかにもあるんですよ。今、インドでとんでもないことが起こっている。コロナの変異株だけじゃないです。スーパー耐性菌というのが出てきました。これにはペニシリンが全く効きません。すべての抗生物質が全く効かないんです。このバクテリアが今、異常増殖して、2030年に世界を一斉に覆うと言われている。

どっちみち世界が死ぬなら先にじゃまな人間をすべて殺してしまえというのがイルミナティの考えです。自分たちの身を守るためには、スーパー耐性菌に感染する人間を全部殺してしまえばいいわけです。自分たちは安全なカプセルの中に入っていて、ある程度おさまったら出てくるわけですから。わかりますか、このイルミナティのやり方。

◉ワクチン接種完了証こそ「666」の正体

旧約聖書のゼカリヤ書14章12節にこう書いてある。「諸国の民がエルサレムに兵を進めてくれば、疫病で主はそのすべての者を撃たれる。肉は足で立っているうちに腐り、目は眼窩の中で腐り、舌も口の中で腐る」。ほんの数分で腐るんだよ。グジャッですよ。ゾンビより怖い。そのグジャッとなった脳がしばらく生きているならホラーです。

ビル・ゲイツは「すべての日本人の児童にｍＲＮＡワクチンの予防接種を義務化しましょう」と言っています。ガース（菅首相）は「わかりました」と答えています。日本人を本気で殺す気だ。医療従事者、高齢者、基礎疾患を持っている人たちを優先的に殺していく。あとは若い人たち、子ども、赤ちゃん。生まれたときにも赤ちゃん用ワクチンを打たせるつもりでいることは間違いない。

そして、接種完了証というのを、西側諸国でイギリスがまず発行。アメリカも従い、次々とＥＵも従って、日本も「仕方がないですねえ」と言って従うことになる。接種証明書がないとコンビニにも入れない。病院にも行けない。新幹線にも乗れません。親が打たないと子どもが学校にも行けません。

聖書が預言したとおりになる。これが「６６６」の正体。これに対抗できるのは、唯一、天皇陛下だけなんです。

◉天皇陛下は1人で国体

天皇陛下は1人で国体です。秋篠宮（あきしののみや）は打つかもしれないけど、天皇陛下は打ちません。ユダヤ人のラビは教義で打たないことになっている。ユダヤ人のラビと天皇陛下、そして本当の神官は打ちません。

あるいは宮内庁が打たなくても打ったとだけ発表するか、打っても中身を栄養剤にすると思われる。

年齢的に高齢の上皇が先に接種することから体に異変が起こり、天皇陛下にまで害が及ばなくなるかもしれない。

天皇陛下を主体とした大和民族の国家。天皇を担いでいる限りは国なんですよ。実は日本という国は金の産出国としかロスチャイルドやロックフェラーは見ておらず、国としての日本は彼らにはどうでもいいことで関係ない。既に世界はアメリカもイギリスも関係なくなって、超富裕層だけの世界「リッチスタン」という世界になっている。ロスチャイルドもロックフェラーも、アメリカとイギリスにはもう所属していない。スターバックスもグーグルもそうで、税金だって納めない。だって、自分たちが超富裕層だから。

天皇陛下と生き残った日本人の3分の1でつくる集合体が自動的に新たな国家になります。国体ですから。それで世界は二分される。ロスチャイルドとロックフェラーが支配しているリッチスタンという世界政府と、天皇陛下を担いでいる大和という国、この2つしか残らない。どちらかにつくかということです。必ずその二者択一になります。それが大和民族の役割であり、それを信じない日本人の3分の2が死ぬんです。それは神意で神業なので我々にはどうしようもなく仕方がない。それも自由だし信じないのも自由。「またまた都市伝説を」「イルミナティ？ ケッ」「ロスチャイルド？ 何でもねえじゃん、そんなの」。そのような意見はゴロゴロありますが、無知は結局は罪なんです。この世では救われないです。

◉「令和」は世界最後の年号

令和の「令」と「和」は「荒魂（アラタマ）」と「和魂（ニギタマ）」といって、スサノオとアマテラスの名を合わせた年号です。これが人類最後の年号です。今までは平和のアマテラスの時代、これからはスサノオの時代、最終戦争（ハルマゲドン）の時代に入っていきます。

聖書もそうです。黙示録の時代の神は新約神のイエスではなく、旧約神のヤハウェ（エホバ）の時代で、次々と人類を抹殺していく。浄化とはそういう意味です。令和になってから黙示録に突入したんです。もう止まらない。悪はより悪になり、善はより善になる。中間がどんどん消えていきます。

「令和」は世界最後の年号です。これをつくったのは誰だと思います？　最大の陰陽師である安倍晴明と南朝系の花山天皇です。彼らが既に今の世の仕掛けを仕組んでいる。花山天皇家の末裔が伯家神道を残して、今の天皇陛下がラストエンペラーになるという預言をちゃんと残してくれています。

安倍晴明といったら京都ですが、実は平将門の三男だ。妻の一人だった桔梗、別名を白きつね。要は、興世王という陰陽師が葛の葉から、彼女の故郷の取手市で預かって、京都へ連れて戻って、加茂氏に預けた。これはいずれまた別のときに発表しますが、伯家神道の仕掛けを紐解こうと思います。

◉今の徳仁天皇はラストエンペラー

伯家神道によれば、「祝の神事」を受けていない天皇が連続3期続いたら、4期目がラストエンペラー。もしくは、100年間続いたら、その後の天皇陛下がラストエンペラーと言われている。

もともと天皇は即位式と大嘗祭の2つが必要だった。でも、後醍醐天皇以降は北朝系というニセモノの天皇家が継ぐのだけど、忌部（いんべ）は絶対に大嘗祭に必要な麁服（あらたえ）を献上しなかった。結果、大嘗祭は行えなかったから、即位式だけが江戸の末期まで続くんですね。彼らは「天皇」という言葉が使えないから、「帝」と呼ばれた。だから、半帝、半分の資格しかない。でも、南朝の後醍醐天皇は祝の神事をちゃんと3つ受けています。

祝の神事が復活するのは明治天皇以降です。明治時代になってから、四国の忌部は麁服を納め始めた。ところが、大正天皇はお心に問題があって受けられなかった。昭和天皇は戦争で受けられなかった。平成天皇、つまり、今の上皇様も受けていない。祝の神事を受けていない天皇が3代続いたので、今の徳仁天皇がラストエンペラーとなる。

世界が終わるとされたマヤの予言は２０１２年12月23日でした。２０１２年のその日は太陽が銀河の中心を横切る「銀河食」が起きています。しかし、お笑い芸人なんかは「ハハハ、何もなかったじゃん」と言いますよね。実は２０１２年12月23日は今の上皇の誕生日でした。が、２０１２年は明治神宮で明治天皇崩御百年祭をやっていたんです。7月30日でした。ですからマヤ予言は天皇家のことなんだよ。ミサイルが落ちてくるとか、そんなレベルとは全然関係ない世界の終わりを象徴する予言だったことになる。

◉「ヤハウェの民」日本が世界の中心

聖書はもともと大和民族のものなんです。大和といえば、いまだにイスラエルに行けば通じる「ヤハウェの民」という古代ヘブライ語だ。旧約聖書は日本人のためにつくられたものです。新約聖書も大和民族のものです。聖典に「異邦人」とあるのは大和民族以外の民族を指し、我々セムのほうから見た主に白人種を「異邦人」、英語で言えば「エイリアン」と呼ぶんです。ギリシャ人とかローマ人は異邦人で人種が全く違うんです。

旧約・新約聖書は大和民族が書き残したものです。イエス・キリストは大和民族のために生まれてきたんです。イエスははっきり言っていますよ。「私は失われたイスラエルのためだけにしか生まれていない」と。それをパウロがローマに伝えて世界に広まった。それまでは新約聖書も旧約聖書も全部、大和民族だけの記録だったんです。それを世界に与えただけだ。

世界を裏で支配しているのは、実は日本なんです。コロンブスは黄金の島ジパングを目指して大西洋に出て、途中でアメリカ大陸を発見した。マルコポーロも日本を目指していたら、フビライに会って「黄金の島がある」と言った結果、黄金が欲しくて起こったのが二度にわたる元寇です。プレスター・ジョンという、最大のイエス・キリストを祀る王国があって、そこは黄金の島なので、それを目指そうとして、ヨーロッパ中がこぞって喜望峰の先にある黄金の島ジパング、つまり日本を目指したんです。始皇帝は東海に浮かぶ蓬萊（日本）という国を目指して徐福を派遣しました。日本が世界史の中心なんです。それを全くわかっていないのが当の日本人なんです。

◉天皇陛下がハルマゲドンの鍵を握る

黙示録の時代、天皇を中心とした大和の国が復活します。あとはカナン人のニムロドの王国が復活します。「世界統一政府」と「大和」、この2つしか世界に存在しなくなる。これが真のハルマゲドンです。世界を終わらせる権能を持っているのが天皇陛下です。だから菊を飾るんです。菊は死を告げると同時に生を告げる華でもある。生と死は初めと終わりで一体です。皇祖神はヤハウェであり、天照大御神であり、イエス・キリストです。神の王国につくか地の王国につくかの二者択一が世界に向けて行われ、それが「666」で分けられるとある。

大変なんですよ。神の王国につくには、それだけの覚悟が必要です。でないと足元から流されちゃう。レミングの群れみたいに、何もしなかったら、激流に流されて崖から底無しの暗闇へと落ちるんです。聖書では「崖から落ちる豚の群れ」が象徴として出てきます。

◉日月神示「3分の1の人民がなくなる」

岡本天明が残した「日月神示」の言っていることが正しければ、令和の浄化で日本人の8395万人が死にます。コロナだけじゃない。南海トラフ大地震、富士山の山体崩壊、東京直下地震と数え上げればキリがない。

「3分の1の人民になると早くから知らせてあったことの実施が始まっているぞ。何もかも3分の1じゃ。大掃除して残った3分の1で新しき時代の礎といたす仕組みじゃ。」（日月神示より）

でもね、大変ですよ。ワクチンを打たなかったら、会社からも、組織からも、工場からも、マスコミからも「エゴイスト」と言われます。そういうことを言う評論家は必ず出てくるし、もう出てきている。「打たない」と言うと、「無知蒙昧(むちもうまい)だ。知識がないのか」と言ってきます。知識がないのはそいつらですよ。「飛鳥さんが言ってますから打たない」と言うと、「あれは陰謀論者だよ。あんなの信じてんの？」と言われます。イルミナティカードで、銀座の服部時計店が崩れ落ちてオリンピックの五色の下に落っこちている。あれはオリンピックがないという証拠だ。それを「陰謀論だよ。偶然、偶然。信じちゃいけません」と言う。

「『アキラ』に書いてますから」と言うと、「漫画じゃん」と言うんです。そして、「おまえは非国民だ。おじいちゃん、おばあちゃんに何かあってもいいのか」と言われます。でも、考えてみなさい。お年寄りは全員打つんだから、本当ならコロナにかからないはずでしょう。だったら、若い人たちは打つ必要はないわけです。そこまで頭が回らないほど足元が浮ついて頭に血がのぼってしまっている。

右向け右と言われたら、右にウワーッと動く。僕はいつも言っている。全員が右を向いているときは左が正しい。全員が上向いているときは下が正しい。本当にそうだから。全員って絶対に気持ち悪いじゃん。全体主義だよ。ナチスもファシストも全部そう。とにかくそういうことだ。

断り方はいろいろある。「もう打ったから」と言えば誰も文句は言わない。「アレルギーだから」と言えば打たなくてすむ。

◉ビル・ゲイツが狙う世界的診断システムで一元支配か⁉

新型コロナウイルスで重要なのは、重症者数と死者数、テレビがあおるような感染者数は全部ウソなんだよ。もともと何もしなくても老衰とか肺炎で高齢者は死んでいます。感染者数というのは、毎日毎日、風邪をひいた人の数を勘定しているようなものです。だから全然意味がない。専門家は、はっきりわかっているんです。わかっていても言わない。言えないんだ。コロナ禍の最前線のPCR検査は、9割以上間違った結果を出す代物だということもわかっているんです。

キャリー・バンクス・マリス自身がはっきり言っています。「悪党にPCRを奪われた」と。悪党とはビル・ゲイツのことです。老人の肺炎を知るにはエックス線検査だけで十分。だから本当なら医療崩壊なんかしません。日本ではPCR検査のたびに健康者を2週間以上も病院やホテルに隔離している。あふれた人は家で隔離。家の中はいつも三密でしょう。ワンルームマンションで夫婦2人で生活していたらどうするの？ 家が一番感染率が高いところなんだよ。緑のタヌキが「東京に来ないで。道端で食べないで」と言うけど、じゃ、家で食えってか。かえって三密になる。どうするわけ？ いくらモリンピック大事と言ってもムチャクチャでしょう。

さらに言うと、スペイン風邪はクラスターが起きて初めてみんな助かっているんです。クラスターがあったから、集団免疫ができておさまった。クラスターを起こさないと、ずーっと続くんです。本当ならクラスターは大歓迎。でも、そんなことは一切言わない。感染爆発は本当のウイルスなら必要なんだよ。それを起こさせないわけは、人工ウイルスで本当は無毒だからです。もう医学の常識がムチャクチャ。新型コロナウイルスは、赤ん坊でも死なない、実に安全なウイルスです。SARSはもっときつかった。

河野太郎行政改革担当相は、マイナンバーに記載するぞと言っていました。これははっきり言って今の法律ではできません。だけど、バーコード、QRコード等でアプリをつくろうとしている。いやあ、全く自民党はモリンピック一直線でムチャクチャだよ。

ビル・ゲイツ自身も自分のことをどんどん暴露しています。「私の目的は、パンデミック・アラート・システムを世界規模でつくることだ」と。一体どういうことか。パンデミックを起こす可能性があるものを世界中で毎日PCR検査するシステムをビル&メリンダ・ゲイツ財団がつくることだ。これに「メガ診療プラットフォーム」という名称まで最初から付けている。要は、ビル・ゲイツは自分が世界の人間の命を支配したいと言っているに等しい!!

◉クリエイターは無から有を生み出す

今まで世界はだまされていた。WHOを支配しているのは中国で、エチオピア生まれのテドロス事務局長は中国からカネもらっている。だから中国を支持して、結果こうなった。そこでトランプ（前）大統領はWHOを中国の手先として、一切おカネを納めないようにしました。でも、バイデンはアメリカの潤沢な資金で復活させると発表。じつはアメリカに次いでWHOを援助しているのがビル・ゲイツだったんです‼

ビル・ゲイツは中国を悪党にして、WHOを裏で支配していたんです。だから僕は言ってるの。中国は胡桃（くるみ）の脳のジャイアン、日本は間抜けなのび太、しずかちゃんは台湾、スネ夫は韓国、アメリカは出木杉なんだよ。ジャイアンは出木杉には絶対勝てない。ドラえもんは日本にとって天照大御神になる。

だんだんわかってきた。藤子不二雄は「アキラ」を超える予言を残したんだよ。漫画家とか、クリエイター、アーティストは、サイエンスの常識をすべて壊している。今の科学の最先端の常識は、無から有は生まれない、宇宙にある物質は最初から決まっているというものだ。エネルギーだって、永久不変の法則で消えてはいない。別のものに変わるだけだ。でも、アーティストとかクリエイターは無から有を次々と生み出している。

漫画家も同じで「ドラえもん」も「アキラ」も、天から霊感を受けている。どっちも作者は日本人だ。韓国や中国が幾ら日本のような漫画をつくろうとしてもできないんだよ。見たものをそっくりにつくって大量に売り飛ばすことはできても、それは世界や日本のパクリ。日本のクリエイターには勝てない。特に、漫画、アニメでは絶対に勝てない。民族性がそもそも違うんだ。

◉日本人は八千数百万人が殺される

飲むワクチンがイギリスから出てきた。アメリカとイギリス両方をまたがけしているのがビル・ゲイツですから。イオス・ビオという会社が飲む遺伝子組み換え粉末（顆粒（かりゅう））をつくって、アメリカとタイアップが決まった。まただよ。どれだけやったら気が済むのか。そもそも筋肉注射は全身免疫だけど、飲むワクチンは粘膜免疫。こっちのほうがえげつない。恐らく女性と子どもがたくさん死ぬだろう。飲むほうが箇単だから、自分の子どもにも飲ませる。

何度も言いますよ。日本は現時点でさえ、欧米の感染者数の1%台です。重症者数も死者数も1%台です。なのに、この慌てようです。テレビを見ると、イギリスと同列で扱っている。ウワー、ウワーと騒いでいますが、1%台ですよ。その1%でさえ虚数です。NHKを筆頭にしたテレビ局に全部がだまされています。

こういうことを生放送で言いたいね。生はカットできないからね。最後に、局の人間が必ず「不手際がございました。おわび申し上げます」と言いますよね。それで、パーンと蹴ってスタジオから出ていきたい。格好いいですよ。やりたいね。やらせてくれないかな、どっかの局（笑）。

山中教授が言ったことは、すごくシンプルです。トゲトゲがあるからコロナというんだけど、これを「スパイク」といいます。これと受け側のレセプターが日本人は合わない。もともと合わないような遺伝子だったようで、合うのは白人連中だ。何を言っているかというと、これで新型コロナウイルスのもとの細胞に白人の細胞が使われていることがわかるんです。

白人たちが大騒ぎすると、アジア人たちは白人に国連が支配されていますから、みんな言うことを聞く。「白人国家が大騒ぎしているから、これは本当に違いない」というわけです。日本人もそういうところがあって、白人が優秀と信じ切っています。日本人は、天照大神が新型コロナと細胞が合わないようにしてくれています。レセプター（受容体）が合うと、ウイルスが細胞に入ってくる。もともと合わないのに、ビル・ゲイツの遺伝子組み換え溶液を体に入れると、レセプターがビル・ゲイツ製に入れかわって、入ってくる。それで次々と肺梗塞、脳溢血、心筋梗塞が起こる。打てば打つほど死ぬんです。

でも、死にたいんだよね。打ってくれ、打ってくれって。日本人は八千数百万が死ぬと言われています。これは文句を言えませんよ。天照大神はちゃんとそういうふうに創ってくれているのに、それを捨ててビル・ゲイツに改宗しちゃうわけだから。

おまけに、食べ物もそうです。天照大神は、そういうものに対して抗体ができるように準備してくれている。最近、おかしいと思わない？　テレビでも、パン、パン、パン。パンのことばかりです。あれはほとんどアメリカの小麦を使っていますからね。

別にパン屋さんに恨みはないけど。ちゃんと日本製の小麦粉を使ってください。アメリカの小麦は出荷するときにどんなことするか知っていますか。大きなタンカーに小麦粉を入れて、大量の防腐剤を入れているんです。えげつないですよ。おまけに大豆なんかは遺伝子組み換えですし。アメリカは何考えているのか疑います。

だけど、みんな遺伝子組み換え溶液は打ちたいんだよね。全部、地上波テレビにだまされているんです。田舎のじいちゃん、ばあちゃんは、農作業とか以外は、ずーっと1日中テレビをつけて、ぼーっと洗脳されています。時にはテレビに向かって語りかけてもいます。そういうふうに日本人はなっちゃったの。特に小泉改革から。ひどいもんです。

◉コロナ騒ぎはまだ序章にすぎない⁉

2021年2月、またイギリスだよ、オックスフォード大学。権威あるね。日本人なんか、オックスフォード大学と聞いたら、ハハーだよ。そのオックスフォード大学が、2種類の異なるワクチンを接種するほうがより効果が大きいと発表しました。それは効果が大きいでしょう。世界に向けて、2〜3種類の混合ワクチンなんて言い始めています。そのうちに、カクテルのように、「ロシア製、中国製、イギリス製を3対4対3でブレンドすると、より効果が大きいことが確かめられました」とか絶対言ってきますから。すると、皆が殺到するんです。「私はアメリカ製Ⅲしか打ってないから、今度はイギリス製Ⅱを打ってください」とか、「中国製Ⅵもスパイス的にちょっと」とか言って(笑)。そういう時代ですからね。命が惜しいから今よりムチャクチャになりますよ。しかも、あっち向いてホイで遺伝子組み換えが次々入ってくるので、どれが正しいのか、ヒトの免疫細胞は大混乱する。結果、ヒトを守ることを放棄します。免疫機能は、ある一定の基準以上になったら放棄してフリーズするんです。そのトリガーが5Gの電波かどうかは別としても最後は必ずフリーズしますから。すると、体のグシャッが始まるわけです。

世界中の衛星から地上に向けて5Gもしくは6Gの電波を照射すると、一斉に電磁波のスイッチが入って、グシャッと溶解する。でも、ビタミン剤を打っていたビル・ゲイツとか、超能力者のユリ・ゲラー、ガースたちは無事です。言うことを聞いた世界中の8割近い人たちは、みんなグシャッと溶ける。「日月神示」にも書いてある通り。赤ちゃんもグシャッ。女もグシャッ。どんな美人でもグシャッ。じいさんもばあさんもグシャッ。どうするの。もう世界はムチャクチャだよ。

ということで、今回のヒカルランドパークにおける飛鳥昭雄の講演会の後編「転結」に関する限りは、まさしく、打つな！ 飲むな！ 買ってねヒカルランドの本（笑）となりました。こういう冗談が言えるうちは、まだいいんです。もう少ししたら、言うだけで非国民と言われます。ヒカルランドパーク、頑張って最先端を走ってね。緑のタヌキから訴えられるかもしれませんよ。

飛鳥情報は、この後まだ続きます。実はコロナも序章にすぎなかったことがわかってきました。コロナもまだオープニングです。まだまだこれから飛鳥情報は、ヒカルランドパークを介して日本中に伝わっていくと思います。また、そうしなきゃいけない。コロナが序章って、一体何？ しかし、まだ言わない（笑）。

◉【Q&A】ワクチンを打ったふりのパフォーマンス？

質問者A　献血に行った際に「コロナワクチンは打っていないですよね」と言われました。

質問者B　フィンランドの担当者がアストラゼネカ社ワクチン使用中止の会見中に倒れましたが、その背景には何があったんでしょうか。

飛鳥　献血はものすごく純粋ですよ。ちゃんと安全が確かめられた方の血でないと輸血できません。当たり前です。これは医学のイロハです。野のものとも山のものともつかないイトミミズ溶液の遺伝子が入った血液なんか、誰がもらいたがります？　これはワクチンじゃないですから。だから正しい判断です。

あと、アストラゼネカはイギリスだから悪質だよ。米英は昔から悪質なんだ。倒れたのはアストラゼネカのワクチンを打った人かもしれないね。みずからの身をもって危険を証明したのかもしれない。わからないですけどね。ただ、ブラジルの保健相の女性が打つところの映像があったんですが、あれは打っていませんでした。拡大してみると、打っていないのに打ったふりをしていました。それがＹｏｕＴｕｂｅに流れて、混乱を招くとして突然削除されたようです。即、保健相は解任されています。こんな危険なイトミミズ溶液、絶対に打っちゃダメです。

◉【Q&A】アメリカ大使館は在日ネットワークを使う？

質問者C　新型コロナで死んだ有名人は、あえて宣伝のために殺されたのではないでしょうか。

飛鳥　その可能性はあります。中国の武漢で最初に警告した眼科医は殺されています。世界中からマスコミが押し寄せた場合、この人物は中国共産党にとって害以外の何者でもないので、病院の中で殺されています。１２０％消されていますよ。それが一つのきっかけにもなったんだけど、若い人でも死ぬんだという恐怖感がアメリカによって拡散しました。

というか、みんなおかしいと思わなきゃ。中国共産党ですよ。武漢で、あっという間に、次々と情報を止めたんです。それが何で漏れたんですか。どこから漏れたの、あの情報。漏れたとしたら西側からですよ。ということは、情報をまいたやつはアメリカということです。しかも、東京のアメリカ大使館を経由している。それも日本名、日本国籍、だけど在日。アメリカ大使館は日本人を信用していないから、在日ネットワークでずっと一緒にやってきた連中を使います。

自衛隊でもそういう部隊「別班」がある。名前はネットで見りゃわかるよ。御巣鷹(おすたか)の尾根で生き残った日本人を次々と火炎放射器で殺していった部隊だ。助かった人がいたのは、尾翼の部分が滑り落ちて別のところにあったからだ。中曽根がアメリカ大使館に相談して、在日部隊を送り込んだ。そのとき、日本の1人の自衛隊員が行ってとめようとしたのを彼らは射殺しています。日本の自衛隊員が1人射殺されたんです。それをやったのは自民党ですよ。本当は横田から米軍の救難ヘリが飛んだんです。それを戻らせたのも当時の中曽根首相です。そのときの内閣にいた竹下も在日、安倍晋太郎も在日、とにかく日本の根幹はＧＨＱの頃から在日ネットワークに完全に支配されているんです。

アメリカ大使館は在日ネットワークしか信用していません。日本人は日本のためにしゃべる可能性がある。これでアメリカは一度失敗したんだ。日航機１２３便墜落事故は血迷った高濱雅己機長が勝手に山に突っ込んだことにしようと、「ドーンと行こうぜ」と言ったところだけをアメリカ大使館がリークさせて流した。

だけど、霞が関にも勇士がいて、絶対非公開だったブラックボックスの全録音テープを公開した。アメリカの情報操作で機長の家族は針のむしろだった。機長が勝手にやって、勝手にぶつかったことにされていたから。でも、「ドーンと行こうぜ」の前に言葉があって、「負けずに行こうぜ」という形で言っていたと判明。それを全部公開したのが日本人の官僚だ。

日本人はこういうことをするから、アメリカ政府は、絶対に在日コリアンの国会議員、総理大臣としか条約を結ばない。今もそうだ。このことを知っておかないとビル・ゲイツと自民党にやられますよ。アメリカは本音では大和民族を根絶やしにしたいからです。

◉【Q&A】日本列島はアマテラスの神王国？

質問者D 白石神事は選民のために行われるということですが、天照大御神再臨後に行われるのでしょうか。

飛鳥 それは伯家神道です。伯家神道というのは、何度も言いますが、花山天皇と安倍晴明がつくり出したものです。どちらにしましても、「お白石持行事」というのがある。これはどちらかというと伊勢神宮がやっているものです。お白石持は日本中にあって、本当は名前を書かなきゃいけないんだけど、名前を書かなくても自分が持っていって、内宮とかに納める。これは割と有名なんですよ。これが日本中に行き渡った。石を鳥居の上に投げて置くじゃないですか。田舎に行くと、よく「何だ、この石」というのが鳥居に乗っている。あれは全部そのことなんだよね。

もともと、「巳(みい)さん」といって、白いヘビが天照大神の正体になっている。天照大神というのは、もともと男神なんですよ。アマテルクニテルヒコ……と、ニギハヤヒまで含めてズラーッと長い名前があるんだけど。三貴子といって、ツキヨミ、スサノオ、アマテラスの3人。ミコというのは男の呼び方なんだよ。それが『古事記』、『日本書紀』では、出どころを隠すために藤原不比等(ふじわらのふひと)がフィクサーとしてつくらせたときに女神に変えた。そのかわり、秦氏系の神社はちゃんと北向きに配置してある。

基本的には、鳥居の向こうが北極星になるように、必ずひしゃくの形になるように、途中にひしゃくが置いてあって、そこで清めるわけだ。でも、物部(もののべ)は違うけどね。物部系の神社は方位は関係ないんです。御神体の山や島の方向を拝するからです。巳さんというヘビは日本中のどんな祠(ほこら)にもちゃんとあるんです。例えば手水舎(ちょうずや)の龍(りゅう)は巳であり、物部系のヤマタノオロチでもあります。すべてが最後はアマテラスに向く仕組みがある。

さらに言うと、各家の1軒1軒も実は神社なんです。そこの家長が宮司の役をする。

だから大晦日になるとしめ縄を玄関に張るんです。出入り口は、よく見ると、かもいも含めて鳥居の形をしています。そこに表札が扁額としてついている。そこに年神様が来たときに、お屠蘇を出して、屠殺されたけど蘇りますという慰めの言葉を御神酒で示す。お年玉は御年の玉串ですから、これはすなわち神の御霊ということです。
日本列島は、端から端まで、上から下まで、西から東まで全部一つの天照大神の神国だった。天皇陛下が国体として治めて、裏から八咫烏が助けるという仕組みです。この仕組みはこの先も変わりません。

◉【Q&A】ロックフェラーがビル・ゲイツに入れ知恵？

質問者E　ビル・ゲイツはもともとパソコン好きの少年でしたが、いつからイルミナティにくみするようになったのでしょうか。

飛鳥　彼はそれで大儲けをして味をしめるんですね。そして医療の部分にまで乗り出そうとしたんです。このときに声がけしたのがロックフェラーです。ロックフェラーというのは、皆様あまりご存じないかもしれないけど、帝王と言われました。アメリカの中央銀行はロックフェラー一族の持ち物でドル札を自由に刷れるんです。あれはロックフェラーの私物なんです。アメリカはそういう国なんだ。ロックフェラーはアメリカの全医療機関を制覇しています。

日本でも有名なのは、理研なんかもそうです。ＳＴＡＰ細胞は存在しますからね。小保方さんは見事にはめられて、殺される寸前まで行った。理研が小保方さんのＳＴＡＰ細胞を放棄してから、ハーバード大学が同じもので世界特許を取りました。ｉＰＳ細胞もそうです。アメリカでの理研はロックフェラーが支配しているためやられ放題ですよ。今後もそうだ。

◉【Q&A】ナノチップが埋め込まれるのか？

質問者F　ロシアがファイザー社製のワクチンからナノチップを発見したという話がありました。また、PCR検査では、長い綿棒で奥まで刺すときにナノチップを埋め込まれるという話もありました。いかがでしょうか。

飛鳥　ナノチップというのは、今風でものの見事にひっかかるんですよ。まるでミクロのチップが遺伝子に埋め込まれているかのように思ってしまう。これはハリウッド映画的には最高なんです。ものすごくわかりやすい。「生体チップ」という言い方をすると、これまた変わってくるんですけどね。生きたチップです。生きている以上は遺伝子でしょう。遺伝子を組み換えたということなんですよ。

半導体のミクロチップが発見されたというのは、あり得ない。SF映画的にはわかりやすいですけど、今は半導体をミクロにして埋め込まなくても、遺伝子でいくらでも同じことができるんです。だから、遺伝子チップ、遺伝子操作という言い方のほうがわかりやすい。

もっと言うと、今は原子のレベルで組み換えができちゃうんです。原子の集合体の分子構造に文字を書くこともできる時代です。わざわざ金属や半導体をミクロにして埋め込む必要なんてないんです。レーザー光線を使うと、もっといろんなことができる。

ロシアがチップを見つけたということで、アメリカでビル・ゲイツを非難する人がいっぱい出てきたんだけど、都市伝説だ、陰謀論だということで次々とＹｏｕＴｕｂｅに潰された。半導体のものすごい小さいものだという言い方で騙されたんだよ。実際、生物でつくる半導体もできていますからね。日本だってつくっています。さらに電気を流すために、ミクロの細菌まで使われています。プラスからマイナスに電気を流すと、一斉に真っすぐに並ぶんです。バクテリアを使う半導体までできている時代に、半導体のナノチップを埋め込む必要はどこにもない。それに、そんな物があればスグにばれちゃうでしょう。

◉［Q&A］日航機墜落の真相とは？

質問者G　これは前回の講演でお話しされたものの繰り返しかもしれないですけれども、１９８５年の日航１２３便ジャンボ機墜落事故で、日本の国産ＯＳ「ＴＲＯＮ（トロン）」開発をした技術者が一掃され、殺されたという話を聞いたことがありますが、飛鳥さんはどう思われますか。

飛鳥　まず、数百人乗っていれば1人や2人いますよ。放射性物質を積んでいたというのもよく聞きます。でもね、みんな勘違いしている。劣化ウランはすべてのアメリカの砲弾もしくはジャンボジェット機にも使われていました。

ジャンボジェット機は、普通はあの形では飛べません。最初から重心が狂っているから。尾翼に劣化ウランを積んでいるんです。劣化ウランというのは、ものすごくかたくて、メチャクチャ重い。厚さ30センチの戦車でも貫通しますから。ＵＨ－60ブラックホークもそうですけど、普通は飛べないのに飛べるのは、尾翼に劣化ウランを積んでいるからです。沖縄でヘリが落ちたときも放射能が出ました。当たり前ですよ、劣化ウランだから。情報的に知らないから、結果、放射性物質を運んでいたとか、こんな当たり前のことが出てくるんです。

先ほどおっしゃったＴＲＯＮの関係者がいたことは事実です。ただ、落とされたというのは、そんなことをしなくても、アメリカがスーパー３０１条を出せば終わりですから。あれは自衛隊が発射した艦対空ミサイルだった。ぶっちゃけて言うと、「まつゆき」が引き渡し操作訓練で誤射した艦対空ミサイルが尾翼に当たって吹き飛ばしその後、ファントムが２機飛んで追尾した。

◉【Q&A】ケムトレイルの真相とは？

質問者Ｈ　２つお願いします。

ケムトレイルというのは誰が何をまいているかということと、アメリカにホームラン王で話題になったハンク・アーロンという人がいるんですけど、あの人はワクチンを打ったら幾らもたたないうちに亡くなっちゃったという報道があった。その後、すぐ報道されなくなっちゃったんですけど。ワクチンを打ったせいで亡くなっているのか、その辺を教えていただければと思います。

飛鳥　基本的には亡くなっているはずなんです。陽性反応、もしくはワクチンを打って死んだら必ず登録しなきゃいけないから。相手が有名人でワクチンを打って死んだら、登録というよりも、報告しちゃいけないことになっている。どういうことかというと、ワクチンで死んだということは統制されているんです。有名人ほどワクチンでは死なない。

例えば、志村けんさんがワクチンを打ってすぐに死んでいれば、大変なことですよね。あれはコロナに感染して死んだからすぐ報道されたわけで、彼がもしワクチンを打って死んだら絶対に報道されませんよ。そのときは多臓器不全で亡くなったとされますから。そういうものなんです。

もっと言うと、スポーツマンはヤバイですね。よく言われるのは、マラソンをやっている方が急にマラソンをやめると、心臓が大きいですから、対応できなくなって結局死んじゃうんです。心臓発作を起こす確率が非常に高くなる。ハンク・アーロンもそうですけど、これからも有名な人がワクチン接種でバタバタ死ぬと思います。少なくともワクチンを打っている以上はヤバイです。ただ、CDCがそれを絶対に認めません。統計に加えません。

ケムトレイルは基本的には超高空なんです。あの白い尾を引くから、すぐわかります。超低空の場合は尾を引かないんです。でも、町の上空200メートルを輸送機が旋回するというのは、アメリカだったらえらいことです。200メートルというのは米軍の攻撃高度です。輸送機が2機、日本のあちこちの町で攻撃高度で旋回するというのは、何かをまいている証拠なんです。事実、牛久（うしく）市でもまいていました。そのときはスタッフが大変だったんです。目が真っ赤になったりして。僕は全く平気だったんですけど。もともと僕はいろんな病原菌を持っているので（笑）、それに対する免疫がある。

はっきり言って、日本の方々は4つのタイプのコロナに感染した形跡がある。これは京大が調査しました。東大は認めません。皆様方、本当はワクチンなんか全く必要ないんです。高齢者の方々はエックス線を受けるだけで肺炎かどうかわかりますし、コロナはそれだけのことです。

◉【Q&A】富士山大噴火、東京直下型大地震、南海トラフ地震？

質問者I　日本政府は今年中に4000万人にワクチンを接種する計画だそうですが、先生が常々言っている首都直下型地震、南海トラフ地震、噴火が連動したらワクチン接種どころじゃなくなっちゃうんじゃないか。

飛鳥　なくなりますね。どっちが先に来るかなと思って。まず、オリンピックなんて常識からみてあるわけがありません。無理やりやったら自民党が吹き飛びますよ。オカルト的には東京直下が来ますよ。「アキラ」という漫画をよく見てほしい。オリンピックが中止になった。あれはＷＨＯも含めて、疫病で中止になっているんです。「アキラ」で次に来るのは東京壊滅です。わけがわからない黒いボールがバーッと出てきて、東京のビルが次々と壊滅していくんです。これからなんです。「アキラ」の予言というのは、ある意味えげつないですよね。あれは一種の予言書だ。さすがに富士山噴火は書いてなかったかもしれないけどね。そういう意味で言うと、都民の3分の2が死ぬかもしれないね。だから天皇陛下は京都に移るんだよ。

皇居には昔の地下防空壕があって、完全密閉されるので、恐らく天皇陛下や皇族の方々はそこに隠れるはずです。国体ですから死なすわけにはいかない。その後、江戸城ができるかどうかはまた別問題だ。

僕はよく日本大震災と言っているけど、本当にそうなるよ。南海地震どころか、九州も含めてね。トカラ列島は今、地震がすごいことになっている。熊本城はまた崩壊するかもしれない。このままいくと、阿蘇山（あそざん）だって無事じゃ済まないかもしれない。南海トラフ、東南海トラフ、東海トラフ、そしてまた三陸沖。あと、皆さんが全く油断している日本海大地震。

日本海も結構大きな地震が過去に何度もあったんです。それがもし起きたら、籠(この)神社は水没すると思ってます。でも、籠神社はやられても、奥の宮の真名井(まない)神社だけは、丘の上にあるので救われる。真名井神社を管理しているのは海部光彦前宮司の頭のいい長女で、僕は「アマテラス」と呼んでいるんですけどね。すごく霊感が強い女性で、おやじを超えているかもしれない。その人が今、丘の上の社務所にずっとおられますから。真名井神社にもし行かれたら、ここまで津波が来たという小さな碑がちゃんとあります。籠神社が津波にやられても、アマテラスが生き残っていれば大丈夫。

富士山が完全崩壊したら、諏訪湖(すわこ)の水が抜けます。富士山の一ツ目部分の後ろの正面だからね。でも、本当の富士山は大和にある大和三山です。東の富士山は三ツの火山が一体化した三位一体だけど、大和の大和三山の富士山は三位三体です。

おまけに、すぐそばに三輪山(みわやま)というご神体も鎮座している。大和に藤原京を三方で囲む大和三山の「藤山」がある限り、日本の富士山は永遠でまるで青天のごとく大和民族を守護します。このこともちゃんと「日月神示」で予言されていて、日本の夜明けだと言っています。

◉［Q&A］アニメ「アキラ」の大予言とは？

質問者J　記憶違いかもしれないんですけど、何年か前に国立競技場が新しくなったときに、最初に設計した人って、たしかヨーロッパの……。

飛鳥　もう亡くなりましたけどね。

質問者J　何かいろいろあって、結局、隈研吾（くまけんご）の設計したものになったと思うんです。もともと女性の設計したものがありましたが問題があり、その女性はお亡くなりになったというニュースが流れましたね。

飛鳥　あれはイラク系のイギリス人じゃなかったっけ。

質問者J　はい、ザハ・ハディッドさんですね。

飛鳥　突然、亡くなったんだよね。はっきり言いますね。ＣＩＡは平気で人を殺しますから。都合の悪い人間は全部殺していきます。大統領だって殺すんだからね。僕が生き残っているのは、まだ使いようがあるからでしょう（笑）。だって、重要な肝の情報はまだ教えてないもん。

彼女の設計したものと全く同じものが実は「アキラ」に出てくるんだよね。全く一緒です。彼女は「アキラ」を見て設計したんじゃないかと言われるぐらいそっくりなんだ。その横で建設中のものが今の競技場なんだよ。彼女の設計したものは一体何なんだということになってくる。だから、「アキラ」はメチャクチャ怖いわけよ。「アキラ」は最後に東京壊滅で終わっていますからね。

質問者Ｊ　建物の中に何か入っていたんですか。

飛鳥　その話は高野誠鮮氏が埋め込んだという情報だよ。羽咋にあるＵＦＯ館の……。国立競技場じゃない。彼はＣＩＡからもらったピンク色の水晶を建物の中心部に埋め込んだ。彼は僕に「あんまりしゃべり過ぎるな」と教えてくれましたけど、僕のバックはＮＳＡなんだ。ＮＳＡとＣＩＡは割と仲が悪い（笑）。

一番致命的だったのは、彼女の設計図には聖火台がなかった。聖火台がないのに何で採用したの？　こっちのほうが問題ですよ。もともと東京五輪の盗作エンブレムだっておかしかった。とにかく不正、不正、不正。そこで初めの国立競技場ですが構造学的に、あれをつくろうとすると予算が数倍かかるというのがわかったみたいだね。何かを埋め込もうとしたかどうかは、また別の話なんだけど。僕、それを聞いたときは、ああ、高野誠鮮氏をすぐ思いました。彼は本当に埋め込みましたからね、アメリカの指示で。そのうちにあのUFO館、飛ぶんじゃないか（笑）。

恐らく石井編集長は、嫌でも飛鳥昭雄を引っ張り出すでしょうけれども、これからこういう場でいろいろ飛鳥情報を公開できる時代がより加速度を上げてやってくると僕は思っています。今回、相当なことを警告を交えて話すことができた。当然ながら、この場にいる方々を含めて、あとはネットを介して、地上波では絶対に言えないことを発表できたと思っています。

これからもヒカルランドを巻き添えにしながらともに歩みたいと思っております。

どうもありがとうございました。（拍手）

（了）

飛鳥昭雄　あすか あきお

1950（昭和25）年大阪府生まれ。企業にてアニメーション、イラスト＆デザイン業務に携わるかたわら、漫画を描き、1982年漫画家として本格デビューする。

漫画作品として『恐竜の謎・完全解明』（小学館）等、作家として『失われた極東エルサレム「平安京」の謎』（学研）等多数。

小説家として、千秋寺京介（せんしゅうじきょうすけ）の名で『怨霊記シリーズ』（徳間書店）等を発表。

現在、サイエンスエンターテイナーとして、TV、ラジオ、ゲームでも活動中。

秘密率99%コロナと猛毒ワクチン

誰も知らない！ 殺しながら儲けるその仕組み！

第一刷 2021年7月31日

著者 飛鳥昭雄

発行人 石井健資

発行所 株式会社ヒカルランド
〒162-0821 東京都新宿区津久戸町3-11 TH1ビル6F
電話 03-6265-0852 ファックス 03-6265-0853
http://www.hikaruland.co.jp info@hikaruland.co.jp

振替 00180-8-496587

本文・カバー・製本 中央精版印刷株式会社

DTP 株式会社キャップス

編集担当 小暮周吾

ISBN978-4-86742-002-7

バッグに入れて持ち歩いたり、飾るだけでも効果あり！

使い方は、体調がすぐれない時や疲れが溜まった時に腕に着けるのがオススメ。個人差がありますが、着けてから数十分ほどで効果が実感できます。勉強や仕事など集中したい時にも効果的。従来品よりもエネルギーが強くなっているため、就寝時は外してお休みください。近くに置いておくだけでも効果があるので、バッグなどに入れて持ち歩くのもいいでしょう。

こんな人におすすめ！

- 体調や気分がすぐれない方
- 朝の目覚めが悪い方
- 勉強や仕事に集中したい方
- 疲れが溜まった時
- 人混みの多い場所に行く時
- リフレッシュしたい時

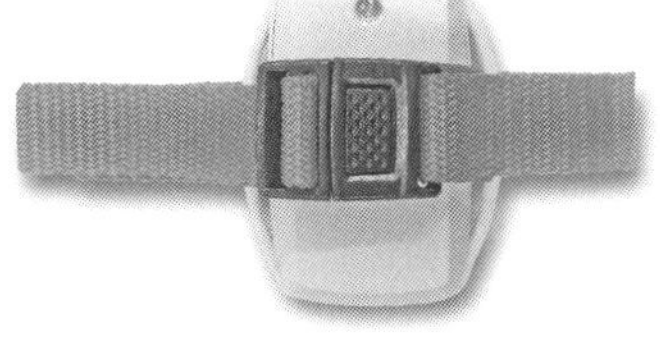

ベルトの接続部はカチッと簡単に着けられるプラスチックバックルを採用。

飾っておくだけでも効果あり。就寝時はベッド付近に置いておくといいでしょう。

メビウスオルゴンリストバンド

■15,400円（税込）

●サイズ：［本体］53×32×15㎜、
　　　　［バンド］長さ260×幅15㎜

●重量：約30g

●素材：［本体］ABS樹脂、
　　　［バンド］ナイロン

●仕様：空中充放電式（コードレス）、
　　　マイクロオルゴンボックス、メビウスリング

※一部部品を輸入しているため、在庫状況によりお届けまでお時間がかかる場合がございます。

ヒカルランド　飛鳥昭雄の本！

地上の星☆ヒカルランド　銀河より届く愛と叡智の宅配便

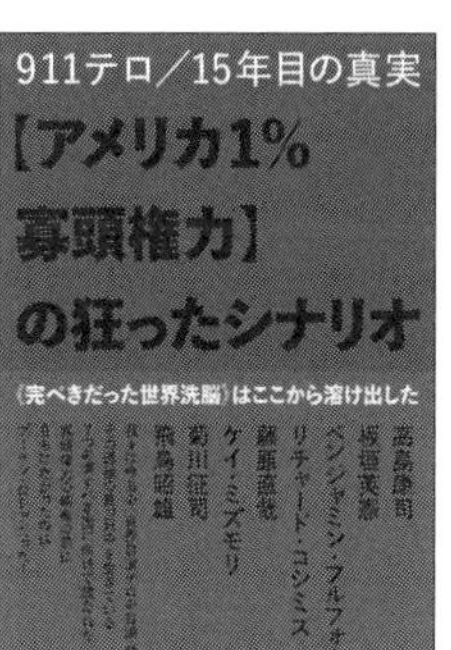

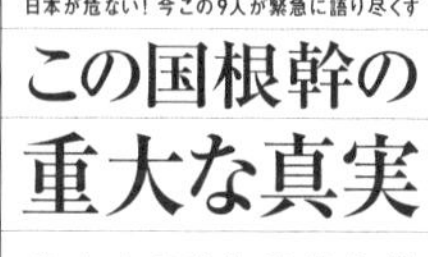

911テロ／15年目の真実
【アメリカ1％寡頭権力】の狂ったシナリオ
著者：高島康司／板垣英憲／ベンジャミン・フルフォード／リチャード・コシミズ／藤原直哉／ケイ・ミズモリ／菊川征司／飛鳥昭雄
四六ソフト　本体 1,851円+税

日本が危ない！　今この９人が緊急に語り尽くす
この国根幹の重大な真実
著者：飛鳥昭雄／池田整治／板垣英憲／菅沼光弘／船瀬俊介／ベンジャミン・フルフォード／内記正時／中丸 薫／宮城ジョージ
四六ソフト　本体 1,815円+税

ついに「ヤハウェの民NIPPON」が動いた！
ワンワールド支配者を覆す「国仕掛け」発動のために
著者：飛鳥昭雄
四六ソフト　本体 1,843円+税

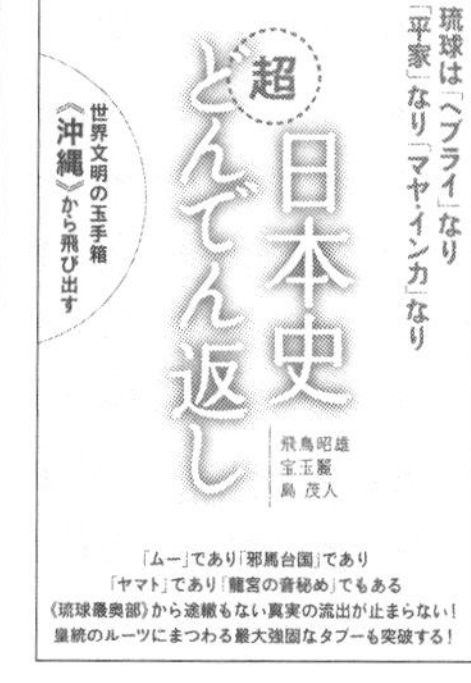

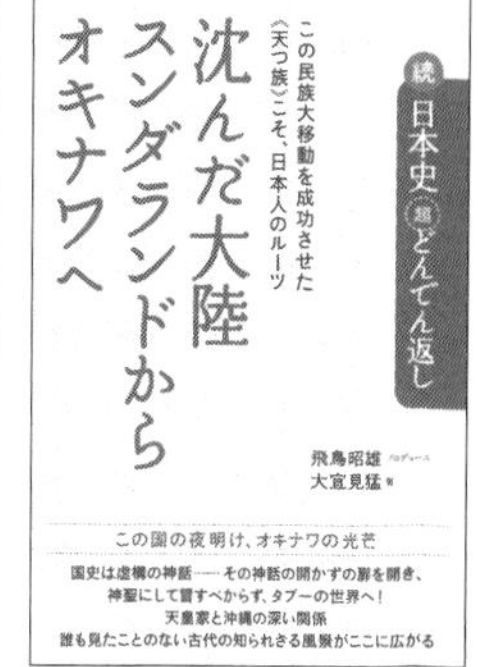

対立か和合か
ユダヤの民 vs ヤハウェの民NIPPON
これが世界の行方を決める
著者：飛鳥昭雄
四六ソフト　本体 1,750円+税

世界文明の玉手箱《沖縄》から飛び出す
日本史［超］どんでん返し
著者：飛鳥昭雄／宝玉麗／島 茂人
四六ソフト　本体 1,685円+税

続 日本史「超」どんでん返し
沈んだ大陸スンダランドからオキナワへ
著者：大宜見猛
監修：飛鳥昭雄
四六ソフト　本体 1,750円+税